Leïla Slimani

Dans le jardin
de l'ogre

Gallimard

Leïla Slimani est née en 1981, elle vit à Paris. Elle a publié deux romans aux Éditions Gallimard : *Dans le jardin de l'ogre* et *Chanson douce,* récompensé notamment du prix Goncourt en 2016. Elle est aussi l'auteur d'un essai, *Sexe et mensonges,* et d'une bande dessinée, *Paroles d'honneur.*

À mes parents

Non ce n'est pas moi. C'est quelqu'un
   d'autre qui souffre.
Moi, je n'aurais pas pu souffrir autant.

ANNA AKHMATOVA
Requiem

Le vertige, c'est autre chose que la peur de
tomber. C'est la voix du vide au-dessous de
nous qui nous attire et nous envoûte, le désir
de chute dont nous nous défendons ensuite
avec effroi. Avoir le vertige c'est être ivre de
sa propre faiblesse. On a conscience de sa
faiblesse et on ne veut pas lui résister, mais
s'y abandonner. On se soûle de sa propre
faiblesse, on veut être plus faible encore, on
veut s'écrouler en pleine rue aux yeux de
tous, on veut être à terre, encore plus bas
que terre.

MILAN KUNDERA
L'insoutenable légèreté de l'être

Une semaine qu'elle tient. Une semaine qu'elle n'a pas cédé. Adèle a été sage. En quatre jours, elle a couru trente-deux kilomètres. Elle est allée de Pigalle aux Champs-Élysées, du musée d'Orsay à Bercy. Elle a couru le matin sur les quais déserts. La nuit, sur le boulevard Rochechouart et la place de Clichy. Elle n'a pas bu d'alcool et elle s'est couchée tôt.

Mais cette nuit, elle en a rêvé et n'a pas pu se rendormir. Un rêve moite, interminable, qui s'est introduit en elle comme un souffle d'air chaud. Adèle ne peut plus penser qu'à ça. Elle se lève, boit un café très fort dans la maison endormie. Debout dans la cuisine, elle se balance d'un pied sur l'autre. Elle fume une cigarette. Sous la douche, elle a envie de se griffer, de se déchirer le corps en deux. Elle cogne son front contre le mur. Elle veut qu'on la saisisse, qu'on lui brise le crâne contre la vitre. Dès qu'elle ferme les yeux, elle entend les bruits, les soupirs, les hurlements, les coups. Un homme nu qui halète, une femme qui jouit. Elle voudrait n'être qu'un objet au milieu d'une horde, être dévorée, sucée, avalée tout entière. Qu'on lui pince les seins, qu'on lui morde le ventre. Elle veut être une poupée dans le jardin d'un ogre.

Elle ne réveille personne. Elle s'habille dans le noir et ne dit pas au revoir. Elle est trop nerveuse pour sourire à qui que ce soit, pour entamer une conversation matinale. Adèle sort de chez elle et marche dans les rues vides. Elle descend les escaliers du métro Jules-Joffrin, la tête basse, nauséeuse. Sur le quai, une souris court sur le bout de sa botte et la fait sursauter. Dans la rame, Adèle regarde autour d'elle. Un homme dans un costume bon marché l'observe. Il a des chaussures pointues mal cirées et des mains poilues. Il est laid. Il pourrait faire l'affaire. Comme l'étudiant qui tient sa copine enlacée et lui dépose des baisers dans le cou. Comme le cinquantenaire debout contre la vitre qui lit sans lever les yeux vers elle.

Elle ramasse sur le siège en face d'elle un journal daté d'hier. Elle tourne les pages. Les titres se mélangent, elle n'arrive pas à fixer son attention. Elle le repose, excédée. Elle ne peut pas rester là. Son cœur cogne dans sa poitrine, elle étouffe. Elle desserre son écharpe, la fait glisser le long de son cou trempé de sueur et la pose sur un siège vide. Elle se lève, ouvre son manteau. Debout, la main sur la poignée de la porte, la jambe secouée de tremblements, elle est prête à sauter.

Elle a oublié le téléphone. Elle se rassoit, vide son sac, fait tomber un poudrier, tire sur un soutien-gorge dans lequel ses écouteurs se sont emmêlés. Pas prudent ce soutien-gorge, songe-t-elle. Elle n'a pas pu oublier le téléphone. Si elle l'a oublié, elle devra retourner à la maison, trouver une excuse, inventer quelque chose. Et puis, non, il est là. Il a toujours été là mais elle ne l'a pas vu. Elle range son sac. Elle a l'impression que tout le monde la regarde. Que toute la rame se moque de sa panique, de ses joues brûlantes. Elle ouvre le petit téléphone à clapet et rit en voyant le premier nom.

Adam.

De toute façon, c'est fichu.

Avoir envie, c'est déjà céder. La digue est rompue. À quoi servirait de se retenir ? La vie n'en serait pas plus belle. À présent, elle réfléchit en opiomane, en joueuse de cartes. Elle est si satisfaite d'avoir repoussé la tentation pendant quelques jours, qu'elle en a oublié le danger. Elle se lève, soulève le loquet poisseux, la porte s'ouvre.

Station Madeleine.

Elle traverse la foule qui avance comme une vague pour s'engouffrer dans la rame. Adèle cherche la sortie. Boulevard des Capucines, elle se met à courir. *Faites qu'il soit là, faites qu'il soit là.* Devant les grands magasins, elle songe à renoncer. Elle pourrait prendre le métro ici, la ligne 9, qui l'amènera directement au bureau, à l'heure pour la réunion de rédaction. Elle tourne autour de la bouche de métro, allume une cigarette. Elle serre son sac contre son ventre. Une bande de Roumaines l'a repérée. Elles avancent vers elle, leur foulard sur la tête, une pétition bidon à la main. Adèle accélère le pas. Elle prend la rue Lafayette dans un état second, se trompe de sens, revient en arrière. Rue Bleue. Elle compose le code et entre dans l'immeuble, monte les escaliers comme une forcenée et tape à la lourde porte, au deuxième étage.

« Adèle... » Adam sourit, les yeux gonflés de sommeil. Il est nu.

« Ne parle pas. » Adèle enlève son manteau et se jette sur lui. « S'il te plaît.

— Tu pourrais appeler... Il n'est même pas huit heures... »

Adèle est déjà nue. Elle lui griffe le cou, lui tire les cheveux. Il se moque et s'excite. Il la pousse violemment, la gifle. Elle saisit son sexe et se pénètre. Debout contre le mur, elle le sent entrer en elle. L'angoisse se dissout. Elle retrouve ses sensations. Son âme pèse moins lourd, son esprit se vide. Elle agrippe les fesses d'Adam, imprime au corps de l'homme des mouvements vifs, violents, de plus en plus rapides. Elle essaie d'arriver quelque part, elle est prise d'une rage infernale. « Plus fort, plus fort », se met-elle à crier.

Elle connaît ce corps et ça la contrarie. C'est trop simple, trop mécanique. La surprise de son arrivée ne suffit pas à sublimer Adam. Leur étreinte n'est ni assez obscène ni assez tendre.

Elle pose les mains d'Adam sur ses seins, essaie d'oublier que c'est lui. Elle ferme les yeux et s'imagine qu'il l'oblige.

Lui n'est déjà plus là. Sa mâchoire se contracte. Il la retourne. Comme à chaque fois, il appuie sa main droite sur la tête d'Adèle, la pousse vers le sol, attrape sa hanche de la main gauche. Il lui donne de grands coups, il râle, il jouit.

Adam a tendance à s'emporter.

Adèle se rhabille et lui tourne le dos. Elle a honte qu'il la voie nue.

« Je suis en retard pour le travail. Je t'appellerai.

— Comme tu veux », répond Adam.

Il fume une cigarette, adossé à la porte de la cuisine. Il touche d'une main le préservatif qui pend au bout de son sexe. Adèle évite de le regarder.

« Je ne trouve plus mon écharpe. Tu ne l'as pas vue? C'est une écharpe grise en cachemire, j'y tiens beaucoup.

— Je vais la chercher. Je te la donnerai la prochaine fois. »

Adèle prend un air détaché. L'important, c'est de ne pas donner l'impression de se sentir coupable. Elle traverse l'open space comme si elle revenait d'une pause-cigarette, sourit à ses collègues et s'assoit à son bureau. Cyril sort la tête de sa cage de verre. Sa voix est couverte par le clapotis des claviers, les conversations téléphoniques, les imprimantes qui crachent des articles, les discussions autour de la machine à café. Il hurle.

« Adèle, il est presque dix heures.

— J'avais un rendez-vous.

— Oui, c'est ça. Tu as deux papiers en retard, je me fous de tes rendez-vous. Je les veux dans deux heures.

— Tu vas les avoir, tes papiers. J'ai presque fini. Après le déjeuner, c'est bon ?

— Y en a marre, Adèle ! On ne va pas passer notre temps à t'attendre. On a un bouclage à faire, merde ! »

Cyril se laisse tomber sur sa chaise en agitant les bras.

Adèle allume son ordinateur et prend son visage dans ses mains. Elle n'a aucune idée de ce qu'elle va écrire. Elle n'aurait jamais dû s'engager à faire ce papier sur les tensions sociales en Tunisie. Elle se demande ce qui lui a pris de lever la main en conférence de rédaction.

Il faudrait qu'elle décroche son téléphone. Qu'elle appelle ses contacts sur place. Qu'elle pose des questions, qu'elle croise des informations, qu'elle fasse cracher des sources. Il faudrait qu'elle ait envie, qu'elle croie au travail bien fait, à la rigueur journalistique dont Cyril leur rebat sans cesse les oreilles, lui qui est prêt à vendre son âme pour un bon tirage. Elle devrait déjeuner à son bureau, le casque sur les oreilles, les mains sur le clavier souillé de miettes. Grignoter un sandwich en attendant qu'une attachée de presse étranglée de suffisance la rappelle pour exiger de relire son papier avant publication.

Adèle n'aime pas son métier. Elle hait l'idée de devoir travailler pour vivre. Elle n'a jamais eu d'autre ambition que d'être regardée. Elle a bien essayé d'être actrice. En arrivant à Paris, elle s'est inscrite à des cours où elle s'est révélée une élève médiocre. Les professeurs disaient qu'elle avait de beaux yeux et un certain mystère. « Mais être comédien, c'est savoir lâcher prise, mademoiselle. » Elle a attendu longtemps chez elle que le destin se réalise. Rien ne s'est passé comme elle l'avait prévu.

Elle aurait adoré être l'épouse d'un homme riche et absent. Au grand dam des hordes enragées de femmes actives qui l'entourent, Adèle aurait voulu traîner dans une grande maison, sans autre souci que d'être belle au retour de son mari. Elle trouverait merveilleux d'être payée pour son talent à distraire les hommes.

Son mari gagne bien sa vie. Depuis qu'il est entré à l'hôpital Georges-Pompidou, comme praticien hospitalier en gastro-entérologie, il multiplie les gardes et les remplacements. Ils partent souvent en vacances et louent un grand appartement dans « le beau 18e ». Adèle est une femme gâtée et son mari est fier de penser qu'elle est très indépendante. Elle trouve que ce n'est pas assez. Que cette vie est petite, minable, sans aucune envergure. Leur argent a l'odeur du travail, de la sueur et des longues nuits passées à l'hôpital. Il a le goût des reproches et de la mauvaise humeur. Il ne lui autorise ni oisiveté ni décadence.

Adèle est entrée au journal par piston. Richard est ami avec le fils du directeur de publication et il lui a parlé d'elle. Ça ne l'a pas dérangée. C'est comme ça pour tout le monde. Au début, elle a voulu bien faire. Elle était excitée à l'idée de plaire à son patron, de le surprendre par son efficacité, par sa débrouillardise. Elle a montré de l'entrain, du culot, décroché des interviews auxquelles personne n'osait rêver dans la rédaction. Puis elle s'est rendu compte que Cyril était un type obtus, qu'il n'avait jamais lu un livre et qu'il était bien incapable de juger de son talent. Elle s'est mise à mépriser ses collègues, qui noyaient dans l'alcool leurs ambitions perdues. Elle a fini par détester son métier, ce bureau, cet écran, toute cette parade idiote. Elle ne supporte plus d'appeler dix fois des ministres qui la rabrouent et finissent par lui lâcher des phrases aussi creuses que l'ennui. Elle a honte de prendre une voix mielleuse pour gagner les faveurs d'une attachée de presse. Tout ce qui lui importe, c'est la liberté que le métier de journaliste lui apporte. Elle gagne mal sa vie mais elle voyage. Elle peut disparaître, inventer des rendez-vous secrets, ne pas avoir à se justifier.

Adèle n'appelle personne. Elle ouvre un document vide, elle est prête à écrire. Elle invente des citations de sources anonymes, les meilleures qu'elle connaisse. « Une source proche du gouvernement », « un habitué des arcanes du pouvoir ». Elle trouve une bonne accroche, fait un peu d'humour pour distraire le lecteur qui croit encore qu'il est venu là pour avoir une information. Elle lit quelques articles sur le sujet, les résume, fait du copier-coller. Ça lui prend à peine une heure.

« Ton papier, Cyril ! crie-t-elle en mettant son manteau. Je vais déjeuner, on en parle à mon retour. »

La rue est grise, comme figée par le froid. Les traits des passants sont tirés, les teints verdâtres.

Tout donne envie de rentrer chez soi et de se coucher. Le clochard devant le Monoprix a bu plus que de coutume. Il dort, allongé sur une bouche d'aération. Son pantalon est baissé, on voit son dos et ses fesses couverts de croûtes. Adèle et ses collègues entrent dans une brasserie au sol pas net et, comme à chaque fois, Bertrand dit, un peu trop fort : « On avait promis qu'on ne viendrait plus ici, le patron est un militant du Front national. »

Mais ils viennent quand même, à cause du feu de cheminée et du bon rapport qualité-prix. Pour ne pas s'ennuyer, Adèle fait la conversation. Elle s'épuise à raconter des choses, à ranimer des ragots oubliés, à poser des questions à ses collègues sur leurs projets pour Noël. Le serveur vient prendre la commande. Quand il leur demande ce qu'ils veulent boire, Adèle propose du vin. Ses collègues remuent mollement la tête, arborent des mines coquettes, prétendent qu'ils n'ont pas les moyens et que ce n'est pas raisonnable. « C'est moi qui vous l'offre », annonce Adèle, dont le compte est à découvert et à qui, jamais, ses collègues n'ont même offert un verre. Elle s'en fiche. Maintenant, c'est elle qui mène la danse. C'est elle qui régale et elle a le sentiment, après un verre de saint-estèphe, dans cette odeur de feu de bois, qu'ils l'aiment et qu'ils lui sont redevables.

Il est quinze heures trente quand ils quittent le restaurant. Ils sont un peu endormis par le vin, la nourriture trop riche et ce feu dans la cheminée qui a parfumé leurs manteaux et leurs cheveux. Adèle prend le bras de Laurent, dont le bureau est en face du sien. Il est grand, maigre et ses fausses dents bon marché lui donnent un sourire chevalin.

Dans l'open space, personne ne travaille. Les journalistes somnolent derrière leurs écrans. De petits groupes discutent au fond de la salle. Bertrand taquine une jeune stagiaire qui a l'imprudence de s'habiller comme une starlette des années 50. Sur le rebord des fenêtres, des bouteilles de champagne prennent le frais. Tout le monde attend l'heure raisonnable pour se soûler, loin de sa famille et de ses vrais amis. Au journal, le pot de Noël est une institution. Un moment de débauche programmé, où il s'agit d'aller le plus loin possible, de révéler son être vrai aux collègues avec qui l'on aura, dès le lendemain, des relations toutes professionnelles.

Tout le monde dans la rédaction l'ignore, mais l'année précédente, le pot de Noël a atteint des sommets pour Adèle. En une nuit, elle a assouvi un fantasme et perdu toute ambition professionnelle. Dans la salle de réunion des rédacteurs en chef, elle a couché avec Cyril sur la longue table en bois laqué noire. Ils ont beaucoup bu. Elle a passé la soirée près de lui, riant à ses blagues, profitant de n'importe quel moment où ils étaient seuls pour lui lancer des regards timides et d'une douceur infinie. Elle a fait semblant d'être à la fois terriblement impressionnée et terriblement attirée par lui. Il lui a raconté ce qu'il avait pensé d'elle la première fois qu'il l'avait vue.

« Je t'ai trouvée si fragile, si timide et bien élevée...

— Un peu coincée, tu veux dire ?

— Oui, peut-être. »

Elle a passé ses lèvres sur sa langue, très vite, comme un petit lézard. Il en a été bouleversé. La salle de rédaction s'est vidée, et pendant que les autres rangeaient les gobelets et les mégots éparpillés, ils ont disparu dans la salle de réunion, à l'étage. Ils se sont jetés l'un sur l'autre. Adèle a déboutonné la chemise de Cyril qu'elle trouvait si beau quand il n'était que son patron et qu'il lui était, d'une certaine façon, interdit. Mais là, sur la table laquée noire, il s'est révélé bedonnant et maladroit. « J'ai trop bu », a-t-il dit pour s'excuser de bander mollement. Il s'est adossé à la table, a passé sa main dans les cheveux d'Adèle et a poussé sa tête entre ses cuisses. Son sexe au fond de la gorge, elle a réprimé son envie de vomir et de mordre.

Elle l'avait désiré pourtant. Elle se réveillait tôt chaque matin, pour se faire belle, pour choisir une nouvelle robe, dans l'espoir que Cyril la regarde et fasse même, dans ses bons jours, un discret compliment. Elle finissait ses articles en avance, proposait des reportages au bout du monde, arrivait dans son bureau avec des solutions et jamais des problèmes, tout cela dans l'unique but de lui plaire.

À quoi servait de travailler maintenant qu'elle l'avait eu?

Ce soir, Adèle se tient à distance de Cyril. Elle se doute bien qu'il y pense mais leurs relations sont devenues très froides. Elle n'a pas supporté les textos idiots qu'il lui a envoyés les jours suivants. Elle a haussé les épaules quand il lui a proposé timidement d'aller, un soir, dîner au restaurant. « À quoi bon, je suis mariée et toi aussi. Nous ne ferions que nous faire souffrir, tu ne crois pas? »

Ce soir Adèle n'a pas l'intention de se tromper de cible. Elle plaisante avec Bertrand, qui la soûle en lui détaillant pour la énième fois sa collection de mangas japonais. Il a les yeux rouges, il vient sans doute de fumer un joint et son haleine est encore plus sèche et acide que d'habitude. Adèle fait bonne figure. Elle feint de supporter la documentariste obèse qui ce soir se permet un sourire, elle dont la bouche n'exprime d'habitude que râles et soupirs. Adèle s'échauffe. Le champagne coule à flots grâce à un homme politique à qui Cyril a offert un portrait élogieux en Une du journal. Elle ne tient plus en place. Elle se sent belle et déteste l'idée que sa beauté soit inutile, que sa gaieté ne serve à rien.

« Vous n'allez pas rentrer? On sort! Allez... », supplie-t-elle Laurent, le regard brillant et si enthousiaste qu'il serait cruel de lui refuser quoi que ce soit.

« Les gars, ça vous dit ? » demande Laurent aux trois journalistes avec qui il discute.

Dans cette semi-pénombre, la fenêtre ouverte sur des nuages mauves, Adèle regarde l'homme nu. Le visage enfoncé dans l'oreiller, il dort d'un sommeil rassasié. Il pourrait aussi bien être mort, comme ces insectes que le coït tue.

Adèle sort du lit, les mains croisées sur ses seins nus. Elle relève le drap sur le corps endormi, qui se recroqueville pour mieux se réchauffer. Elle ne lui a pas demandé son âge. Sa peau lisse et grasse, la chambre de bonne où il l'a emmenée laissent supposer qu'il est plus jeune qu'il ne l'a prétendu. Il a des jambes courtes et des fesses de femme.

L'aube jette sa lumière froide sur la chambre en désordre. Adèle se rhabille. Elle n'aurait pas dû le suivre. À l'instant même où il l'a embrassée, collant ses lèvres molles contre les siennes, elle a su qu'elle s'était trompée. Il ne saurait pas la remplir. Elle aurait dû s'enfuir. Trouver une excuse pour ne pas monter dans cette mansarde. Dire : « On s'est déjà bien amusés, non ? »

Elle aurait dû quitter le bar sans un mot, résister à ces mains qui l'enlaçaient, à ce regard vitreux, à cette haleine lourde.

Elle a manqué de courage.

Ils ont monté l'escalier en titubant. À chaque marche, la magie se diluait, l'ivresse joyeuse faisait place à la nausée. Il a commencé à se déshabiller. Elle sentait son cœur se serrer, seule face à la banalité d'une fermeture Éclair, au prosaïsme d'une paire de chaussettes, aux gestes maladroits d'un jeune ivrogne. Elle aurait voulu dire : « Arrête, ne parle plus, je n'ai plus envie de rien. » Mais elle ne pouvait plus reculer.

Couchée sous son torse lisse, elle n'a rien eu d'autre à faire qu'à aller vite, simuler, en rajouter dans les cris pour qu'il se satisfasse, qu'il se taise, en finir. A-t-il seulement remarqué qu'elle fermait les yeux ? Elle fermait les yeux avec rage, comme si le voir la dégoûtait, comme si elle pensait déjà aux prochains hommes, les vrais, les bons, ceux d'ailleurs, ceux qui auraient enfin prise sur son corps.

Elle tire doucement la porte de l'appartement. Dans la cour de l'immeuble, elle allume une cigarette. Encore trois bouffées et elle appellera son mari.

« Je ne te réveille pas ? »

Elle dit qu'elle a dormi chez son amie Lauren, qui habite à deux pas du journal. Elle prend des nouvelles de son fils. « Oui, la soirée s'est bien passée », conclut-elle. Face au miroir piqué du hall d'immeuble, elle lisse ses traits et se regarde mentir.

Dans la rue vide, elle entend ses propres pas. Elle pousse un cri quand un homme la bouscule en courant pour attraper le bus qui s'apprête à freiner. Elle rentre en marchant, pour faire passer le temps, pour être sûre de se réfugier dans un appartement vide, où personne ne la questionnera. Elle écoute de la musique et se fond dans un Paris gelé.

Richard a débarrassé le petit déjeuner. Les tasses sales reposent dans l'évier, une tartine est restée collée sur une assiette. Adèle s'assoit sur le canapé en cuir. Elle n'enlève pas son manteau, serre son sac contre son ventre. Elle ne bouge plus. La journée ne commencera que quand elle aura pris sa douche. Quand elle aura lavé sa chemise qui sent le tabac froid. Quand elle cachera ses cernes sous son maquillage. Pour l'instant, elle repose dans sa crasse, suspendue entre deux mondes, maîtresse du temps présent. Le danger est passé. Il n'y a plus rien à craindre.

Adèle arrive au journal, les traits tirés, la bouche sèche. Elle n'a rien mangé depuis la veille. Il faut qu'elle avale quelque chose pour éponger sa peine et sa nausée. Elle a acheté un pain au chocolat sec et froid, dans la pire boulangerie du quartier. Elle croque une bouchée mais elle a du mal à mâcher. Elle voudrait se rouler en boule dans les toilettes et dormir. Elle a sommeil et elle a honte.

« Alors, Adèle ? Pas trop fatiguée ? »

Bertrand se penche au-dessus de son bureau et lui lance un regard complice auquel elle ne réagit pas. Elle jette le pain au chocolat dans la corbeille. Elle a soif.

« Tu étais en grande forme hier soir. Pas trop mal à la tête ?

— Ça va, merci. Il me faut juste un café.

— Quand tu as un coup dans le nez, on a du mal à te reconnaître. On te voit comme ça, petite princesse pincée, avec sa petite vie bien rangée. Tu es une sacrée fêtarde, en fait.

— Arrête.

— Tu nous as bien fait marrer. Et quelle danseuse !

— Bon, Bertrand, il faut que je me mette au boulot.

— Moi aussi, j'ai une tonne de choses à faire. Je n'ai presque pas dormi. Je suis vanné.

— Bon courage, alors.

— Je ne t'ai pas vue partir hier soir. Le petit jeune, tu l'as ramené ? Tu as noté son prénom ou c'était juste comme ça ?

— Et toi, tu les notes les prénoms des putes que tu montes dans ta chambre quand tu es en mission à Kinshasa ?

— Oh ça va ! On rigole, c'est bon. Ton mari ne dit rien quand tu rentres à quatre heures du matin, complètement bourrée ? Il ne te pose pas de questions ? Moi ma femme ferait ça...

— Tais-toi », le coupe Adèle. Le souffle court, les joues cramoisies, elle approche son visage de celui de Bertrand. « Ne parle plus jamais de mon mari, tu m'entends ? »

Bertrand recule, les deux paumes en l'air.

Adèle s'en veut d'avoir été imprudente. Elle n'aurait jamais dû danser, se montrer si abordable. Elle n'aurait pas dû s'asseoir sur les genoux de Laurent et raconter, la voix chevrotante et complètement ivre, un sombre souvenir d'enfance. Ils l'ont vue tapiner derrière le bar avec le jeune garçon. Ils l'ont vue et ils ne la jugent pas. C'est bien pire. Ils vont croire à présent qu'une complicité est possible, que la familiarité est de mise. Ils vont vouloir en rire avec elle. Les hommes vont croire qu'elle est coquine, leste, facile. Les femmes la traiteront de prédatrice, les plus indulgentes diront d'elle qu'elle est fragile. Ils auront tous tort.

Samedi, Richard a proposé d'aller au bord de la mer. « On partira tôt, Lucien pourra dormir dans la voiture. » Adèle se réveille aux aurores pour ne pas contrarier son mari qui veut éviter les embouteillages. Elle prépare les sacs, habille son fils. La journée est froide mais lumineuse, une journée qui réveille les esprits, qui interdit toute léthargie. Adèle est joyeuse. Dans la voiture, ragaillardie par le fier soleil d'hiver, elle fait même la conversation.

Ils arrivent à l'heure du déjeuner. Les Parisiens ont colonisé les terrasses chauffées mais Richard a eu l'intelligence de réserver. Le docteur Robinson ne laisse rien au hasard. Il n'a pas besoin de lire la carte, il sait ce dont il a envie. Il commande du vin blanc, des huîtres, des bulots. Et trois soles meunières.

« On devrait faire ça toutes les semaines ! Le grand air pour Lucien, un dîner en amoureux pour nous, c'est parfait, non ? Ça me fait tellement de bien. Après la semaine que j'ai eue à l'hôpital... Je ne t'ai pas dit, Jean-Pierre, le chef de service, m'a demandé si je voulais faire une présentation sur le cas Meunier. Évidemment, je lui ai dit oui. Il me devait bien ça. De toute façon, l'hôpital c'est bientôt derrière moi. J'ai l'impression de ne jamais vous voir, le petit et toi. Ils m'ont recontacté pour la clinique à Lisieux, ils attendent mon feu vert. J'ai pris rendez-vous pour la maison à Vimoutiers. On la visitera pendant les vacances chez mes parents. Maman est allée la voir, elle m'a dit qu'elle était parfaite. »

Adèle a trop bu. Elle a les paupières lourdes. Elle sourit à Richard. Elle se mord les joues pour se retenir de lui couper la parole et de changer de conversation. Lucien s'agite, il commence à s'ennuyer. Il se balance sur sa chaise, attrape un couteau que Richard lui retire des mains puis il lance au travers de la table la salière qu'il a dévissée. « Lucien, tu arrêtes ! » ordonne Adèle.

L'enfant plonge sa main dans son assiette et écrase une carotte entre ses doigts. Il rit.

Adèle essuie la main de son fils. « On demande l'addition ? Tu vois bien qu'il n'en peut plus. »

Richard se ressert un verre.

« Pour la maison, tu ne m'as pas dit ce que tu en pensais ? Je ne referai pas une autre année à l'hôpital. Paris n'est pas fait pour moi. Toi aussi d'ailleurs, tu dis que tu t'ennuies à mourir au journal. »

Adèle a les yeux rivés sur Lucien qui remplit sa bouche de menthe à l'eau et crache sur la table.

« Richard, dis-lui quelque chose ! hurle Adèle.

— Qu'est-ce qui te prend ? Tu es folle ou quoi ? Tout le monde nous regarde, lui répond Richard qui la regarde, stupéfait.

— Excuse-moi. Je suis fatiguée.

— Tu n'es pas capable de juste profiter d'un bon moment ? Tu gâches tout.

— Excuse-moi », répète Adèle, qui se met à nettoyer la nappe en papier. « Il s'ennuie, ce petit. Il a besoin de se dépenser, c'est tout. Il lui faudrait un petit frère ou une petite sœur et un grand jardin pour jouer. »

Richard lui sourit, conciliant.

« Qu'est-ce que tu as pensé de l'annonce ? Tu l'as aimée cette maison, non ? J'ai pensé à toi dès que je l'ai vue. Je veux qu'on change de vie. Je veux qu'on ait une putain de vie, tu comprends ? »

Richard prend son fils sur ses genoux et lui caresse les cheveux. Lucien ressemble à son père. Les mêmes cheveux blonds et fins, la même bouche en forme de calisson. Ils rient beaucoup tous les deux. Richard est fou de son fils. Parfois, Adèle se demande s'ils ont vraiment besoin d'elle. S'ils ne pourraient pas vivre heureux, tous les deux.

Elle les regarde et comprend qu'à présent sa vie sera toujours la même. Elle s'occupera de ses enfants, s'inquiétera de ce qu'ils mangent. Elle ira en vacances dans des lieux qui leur plaisent, cherchera tous les week-ends à les distraire. Comme les bourgeois du monde entier, elle ira les chercher au cours de guitare, les emmènera au spectacle, à l'école, cherchera tout ce qui peut les « tirer vers le haut ». Adèle espère que ses enfants ne lui ressembleront pas.

Ils rejoignent l'hôtel et s'installent dans une chambre étroite, en forme de cabine de bateau. Adèle n'aime pas cet endroit. Elle a l'impression que les murs bougent et se rapprochent, comme s'ils allaient lentement l'écraser durant son sommeil. Mais elle a envie de dormir. Elle ferme les volets sur cette belle journée dont il faut profiter, installe Lucien dans son lit pour la sieste et se couche. Elle a à peine fermé les yeux qu'elle entend son fils l'appeler. Elle ne bouge pas. Elle a plus de patience que lui, il finira par se lasser. Il donne des coups dans la porte, elle devine qu'il est entré dans la salle de bains. Il ouvre le robinet. « Emmène-le jouer. On n'est là que pour une journée, le pauvre. Je sors de deux jours de garde. »

Adèle se lève, rhabille Lucien et l'accompagne sur une petite aire de jeux, dans le prolongement de la plage. Il monte et descend sur les structures colorées. Il glisse sans se lasser sur le toboggan. Adèle a peur qu'il ne tombe de la haute plate-forme sur laquelle les enfants se poussent et elle fait le tour, pour pouvoir le rattraper.

« On rentre, Lucien ?

— Non, maman, pas maintenant », ordonne son fils.

Le square est minuscule. Lucien arrache une voiture à un petit garçon qui se met à pleurer. « Rends-lui son jouet. Allez, viens, on va retrouver papa à l'hôtel », le supplie-t-elle en le tirant par le bras. « Non ! » lui crie son fils qui se précipite vers une balançoire et manque de s'y fracasser la mâchoire. Adèle s'installe sur un banc puis se relève. « Si on allait sur la plage ? » propose-t-elle. Il ne se fera pas mal sur le sable.

Adèle s'assoit sur la plage glacée. Elle prend Lucien entre ses jambes et se met à creuser un trou. « On va creuser si profond qu'on va trouver de l'eau, tu vas voir.

— Je veux l'eau ! » s'enthousiasme Lucien qui lui échappe au bout de quelques minutes et se met à courir vers les larges flaques que la marée basse a formées en se retirant. L'enfant tombe sur le sable, se relève et saute dans la boue. « Lucien, reviens ! » hurle Adèle d'une voix stridente. L'enfant se retourne et la regarde en riant. Il s'assoit dans la flaque et plonge ses bras dans l'eau. Adèle ne se lève pas. Elle est furieuse. Il va être trempé en plein mois de décembre. Il va attraper froid et elle devra s'en occuper encore plus qu'elle ne s'en occupe maintenant. Elle lui en veut d'être aussi stupide, aussi inconscient, aussi égoïste. Elle songe à se lever, à le ramener de force à l'hôtel où elle demandera à Richard de lui donner un bain chaud. Elle ne bouge pas. Elle ne veut pas le porter, lui qui est devenu si lourd et dont les jambes musclées lui donnent des coups violents quand il se débat. « Lucien, reviens immédiatement ! » hurle-t-elle sous les yeux d'une vieille dame médusée.

Une femme blonde mal coiffée, vêtue d'un short malgré la saison, prend la main de Lucien et le ramène à sa mère. Son jean est relevé sur ses genoux potelés, il est souriant et confus. Adèle est encore assise quand la dame lui dit avec un fort accent anglais :

« Je crois que ce petit bout a envie de se baigner.

— Merci », répond Adèle, humiliée et nerveuse. Elle voudrait s'étendre sur le sable, relever son manteau sur son visage et abandonner la partie. Elle n'a même pas la force de crier sur l'enfant qui grelotte et la regarde en souriant.

Lucien est un poids, une contrainte dont elle a du mal à s'accommoder. Adèle n'arrive pas à savoir où se niche l'amour pour son fils au milieu de ses sentiments confus : panique de devoir le confier, agacement de l'habiller, épuisement de monter une pente avec sa poussette rétive. L'amour est là, elle n'en doute pas. Un amour mal dégrossi, victime du quotidien. Un amour qui n'a pas de temps pour lui-même.

Adèle a fait un enfant pour la même raison qu'elle s'est mariée. Pour appartenir au monde et se protéger de toute différence avec les autres. En devenant épouse et mère, elle s'est nimbée d'une aura de respectabilité que personne ne peut lui enlever. Elle s'est construit un refuge pour les soirs d'angoisse et un repli confortable pour les jours de débauche.

Elle a aimé être enceinte.

À part les insomnies et les jambes lourdes, un

petit mal de dos et les gencives qui saignaient, Adèle a eu une grossesse parfaite. Elle a arrêté de fumer, n'a pas bu plus d'un verre de vin par mois et cette vie saine la comblait. Pour la première fois de sa vie, elle avait l'impression d'être heureuse. Son ventre pointu lui donnait une cambrure gracieuse. Sa peau était éclatante et elle avait même laissé pousser ses cheveux qu'elle coiffait en les ramenant sur le côté.

Elle en était à sa trente-septième semaine de grossesse et la position couchée était devenue très inconfortable. Cette nuit-là, elle a dit à Richard de sortir sans elle. « Je ne bois pas d'alcool, il fait chaud. Je ne vois vraiment pas ce que je ferais à cette fête. Va t'amuser et ne t'inquiète pas pour moi. »

Elle s'est couchée. Les volets étaient restés ouverts et elle pouvait voir la foule marcher dans les rues. Elle a fini par se lever, fatiguée de chercher le sommeil. Dans la salle de bains, elle s'est aspergé le visage d'eau glacée et s'est longuement observée. Elle baissait les yeux vers son ventre, revenait vers son visage. « Redeviendrai-je un jour celle que j'étais avant ? » Elle avait la sensation aiguë de sa propre métamorphose. Elle n'aurait pas pu dire si cela la réjouissait ou si elle en concevait de la nostalgie. Mais elle savait que quelque chose mourait en elle.

Elle s'était dit qu'un enfant la guérirait. Elle s'était convaincue que la maternité était la seule issue à son mal-être, la seule solution pour briser net cette fuite en avant. Elle s'y était jetée comme un patient finit par accepter un traitement indispensable. Elle avait fait cet enfant ou, plutôt, cet enfant lui avait été fait sans qu'elle y oppose de résistance, dans l'espoir fou que cela lui serait bénéfique.

Elle n'a pas eu besoin de faire de test de grossesse. Elle a tout de suite su mais n'en a rien dit à personne. Elle était jalouse de son secret. Son ventre grossissait et elle continuait de nier mollement l'arrivée d'un enfant. Elle craignait que son entourage ne gâche tout par la banalité de leurs réactions, la vulgarité de leurs gestes, mains tendues vers le bas de son ventre pour en soupeser la rondeur. Elle se sentait seule, surtout auprès des hommes, mais cette solitude ne lui pesait pas.

Lucien est né. Elle s'est vite remise à fumer. A recommencé à boire presque instantanément. L'enfant contrariait sa paresse et pour la première fois de sa vie, elle se voyait contrainte de s'occuper de quelqu'un d'autre que d'elle-même. Elle aimait cet enfant. Elle vouait au nourrisson un amour physique intense et malgré tout insuffisant. Les journées à la maison lui semblaient interminables. Parfois, elle le laissait pleurer dans sa chambre et se couvrait la tête d'un oreiller en cherchant le sommeil. Elle sanglotait devant la chaise haute maculée d'aliments, face à un enfant triste qui ne voulait pas manger.

Elle aime le serrer contre elle, nu, avant de le déposer dans son bain. Elle adore le bercer et le regarder sombrer dans le sommeil, ivre de sa tendresse. Depuis qu'il a abandonné son lit à barreaux pour un lit d'enfant, elle s'est mise à dormir avec lui. Elle quitte sans bruit la chambre conjugale et se glisse dans le lit de son fils qui l'accueille en grognant. Elle place son nez dans ses cheveux, dans son cou, dans la paume de sa main et respire son odeur rance. Elle voudrait tant que cela la comble.

La grossesse l'a abîmée. Elle a l'impression d'en être sortie laide, molle, vieillie. Elle a coupé ses cheveux court et il lui semble que les rides, désormais, lui rongent le visage. À trente-cinq ans, Adèle n'a pourtant pas cessé d'être une belle femme. L'âge l'a même rendue plus forte, plus intrigante, plus magistrale. Ses traits se sont durcis mais son regard délavé a gagné en puissance. Elle est moins hystérique, moins survoltée. Des années de tabac ont tempéré la voix aiguë dont son père se moquait. Sa pâleur est devenue intense et on pourrait presque dessiner, comme sur un calque, les méandres de ses veines sur ses joues.

Ils sortent de la chambre. Richard tire Adèle par le bras. Ils restent quelques minutes figés derrière la porte et écoutent les hurlements de Lucien qui les supplie de revenir. Le cœur lourd, ils marchent vers le restaurant où Richard a réservé une table. Adèle a voulu se faire belle puis elle a renoncé. En rentrant de la plage, elle avait froid. Elle n'a pas eu le courage d'ôter ses vêtements, de mettre la robe et la paire de talons qu'elle a apportées. Après tout, ils ne sont que tous les deux.

Dans la rue, ils marchent vite, l'un à côté de l'autre. Ils ne se touchent pas. S'embrassent peu. Leurs corps n'ont rien à se dire. Ils n'ont jamais eu l'un pour l'autre d'attirance ni même de tendresse, et d'une certaine façon cette absence de complicité charnelle les rassure. Comme si cela prouvait que leur union était au-dessus des contingences du corps. Comme s'ils avaient déjà fait le deuil de quelque chose dont les autres couples ne se déferont qu'à contrecœur, dans les cris et les larmes.

Adèle ne se souvient pas de la dernière fois qu'elle a fait l'amour avec son mari. C'était en été sans doute. Un après-midi. Ils ont pris l'habitude de ces temps morts, de ces nuits qui se suivent à se souhaiter de beaux rêves en se tournant le dos. Mais toujours, la gêne, une aigreur finissent par flotter au-dessus d'eux. Adèle ressent alors l'obligation étrange de briser le cycle, de reprendre corps avec lui pour pouvoir de nouveau s'en passer. Elle y pense pendant des jours comme à un sacrifice auquel il faut consentir.

Ce soir, les conditions sont réunies. Richard a un regard gras et un peu honteux. Il a des gestes maladroits. Il fait remarquer à Adèle qu'elle est en beauté. Elle propose de commander une bonne bouteille de vin.

Dès l'entrée, Richard reprend la conversation interrompue à midi. Entre deux bouchées, il rappelle à Adèle les promesses qu'ils se sont faites, il y a neuf ans, au moment de leur mariage. Profiter de Paris autant que leur jeunesse et leurs moyens le leur permettraient, puis repartir en province à l'arrivée des enfants. Quand Lucien est né, Richard lui a accordé un sursis. Elle a dit: « Dans deux ans. » Les deux ans sont passés depuis longtemps et cette fois, il ne cédera pas. N'a-t-elle pas répété des dizaines de fois qu'elle voulait quitter la rédaction, se consacrer à autre chose, à l'écriture peut-être, à sa famille? Est-ce qu'ils n'étaient pas d'accord sur le fait qu'ils étaient fatigués du métro, des embouteillages, de la vie chère, de la course contre la montre? Devant l'indifférence d'Adèle, qui se tait et touche à peine à son plat, Richard ne faiblit pas. Il abat sa dernière carte.

« Je voudrais un deuxième enfant. Une petite fille, ce serait merveilleux. »

Adèle, à qui l'alcool a coupé l'appétit, a maintenant envie de vomir. Elle a l'impression que son ventre est gonflé, prêt à déborder. La seule chose qui pourrait la soulager serait de se coucher, de ne plus faire un geste et de laisser le sommeil l'envahir.

« Tu peux finir mon plat si tu veux. Je suis incapable d'avaler une bouchée de plus. »

Elle pousse son assiette vers Richard.

Il commande un café. « Tu ne veux rien, tu es sûre? » Il accepte l'armagnac que le patron tient à lui offrir, et continue à parler d'enfants. Adèle est furieuse. La soirée lui semble interminable. Si seulement il changeait de sujet.

Sur la route de l'hôtel, Richard est un peu soûl. Il fait rire Adèle en se mettant à courir dans la rue. Ils entrent dans leur chambre sur la pointe des pieds. Richard paie la baby-sitter. Adèle s'assoit sur le lit et retire lentement ses chaussures.

Il n'osera pas.

Et pourtant, si.

Ses gestes ne trompent pas. Ce sont toujours les mêmes.

Il arrive dans son dos.

Le baiser dans le cou.

Cette main sur la hanche.

Et puis ce murmure, ce gémissement qu'il accompagne d'un sourire suppliant.

Elle se tourne, ouvre la bouche dans laquelle la langue de son mari s'enfonce.

Pas de préliminaires.

Finissons-en, pense-t-elle en se déshabillant, seule, de son côté du lit.

On y retourne. L'un contre l'autre. Ne pas cesser de s'embrasser, faire comme si c'était vrai. Poser sa main sur sa taille, sur son sexe. Il la pénètre. Elle ferme les yeux.

Elle ne sait pas ce qui fait plaisir à Richard. Ce qui lui fait du bien. Elle ne l'a jamais su. Leurs étreintes ignorent toute subtilité. Les années n'ont pas amené plus de complicité, elles n'ont pas émoussé la pudeur. Les gestes sont précis, mécaniques. Droit au but. Elle n'ose pas prendre son temps. Elle n'ose pas demander. Comme si la frustration risquait d'être si violente qu'elle pourrait l'étrangler.

Elle ne fait pas de bruit. Elle aurait horreur de réveiller Lucien, qu'il surprenne cette situation grotesque. Elle colle sa bouche contre l'oreille de Richard, gémit un peu pour se donner bonne conscience.

C'est déjà fini.

Il se rhabille tout de suite. Reprend immédiatement ses esprits. Allume la télévision.

Il n'a jamais eu l'air de se soucier de la solitude dans laquelle il abandonne sa femme. Elle n'a rien ressenti, rien. Elle a juste entendu des bruits de ventouse, de torses qui se collent, de sexes qui se croisent.

Et puis, un grand silence.

Les amies d'Adèle sont belles. Elle a la sagesse de ne pas s'entourer de filles moins jolies qu'elle. Elle ne veut pas avoir à s'inquiéter d'attirer l'attention. Elle a rencontré Lauren lors d'un voyage de presse en Afrique. Adèle venait d'entrer au journal et c'était la première fois qu'elle accompagnait un ministre en voyage officiel. Elle était nerveuse. Sur le tarmac de Villacoublay, où un avion de la République française les attendait, elle a tout de suite remarqué Lauren, son mètre quatre-vingts, ses cheveux blancs et mousseux, son visage de chat égyptien. Lauren était déjà une photographe aguerrie, une spécialiste de l'Afrique qui avait écumé toutes les villes du continent et qui vivait seule, dans un studio, à Paris.

Dans l'avion, ils étaient sept. Le ministre, un type sans grand pouvoir mais dont les multiples revirements, les affaires de corruption et les coucheries avaient suffi à faire un personnage important. Un conseiller technique rieur, sans doute alcoolique, toujours prêt à raconter une anecdote graveleuse. Un garde du corps discret, une attachée de presse trop blonde et trop bavarde. Un journaliste maigre et laid, gros fumeur, rigoureux, qui avait gagné plusieurs prix dans le quotidien où il travaillait et dont il faisait régulièrement la Une.

Le premier soir, à Bamako, elle a couché avec le garde du corps qui, soûl et exalté par le désir d'Adèle, s'est mis à danser torse nu dans la boîte de nuit de l'hôtel, son Beretta coincé dans la ceinture de son pantalon. Le deuxième soir, à Dakar, elle a sucé le conseiller de l'ambassadeur de France dans les toilettes, s'éclipsant d'un cocktail à mourir d'ennui, où des expatriés français béats se frottaient au ministre en engloutissant des petits-fours.

Le troisième soir, sur la terrasse de l'hôtel en bord de mer de Praia, elle a commandé une caipirinha et s'est mise à plaisanter avec le ministre. Elle s'apprêtait à proposer un bain de minuit quand Lauren s'est assise à côté d'elle. « Demain, on ira faire de belles photos, tu veux ? Ça pourra t'aider pour ton article. Tu l'as commencé ? Tu as choisi un angle ? » Quand Lauren lui a proposé de l'accompagner dans sa chambre pour lui montrer quelques photos, Adèle a pensé qu'elles allaient coucher ensemble. Elle s'est dit qu'elle ne voulait pas faire l'homme, qu'elle ne lui lècherait pas le sexe, qu'elle se laisserait seulement faire.

Les seins. Elle pourrait lui toucher les seins,

ils avaient l'air tendre et moelleux, ils avaient l'air doux, ses seins. Elle n'aurait pas de scrupule à y goûter. Mais Lauren ne s'est pas déshabillée. Elle n'a pas non plus montré ses photos. Elle s'est allongée sur le lit et elle a parlé. Adèle s'est couchée auprès d'elle et Lauren s'est mise à lui caresser les cheveux. La tête sur l'épaule de celle qui était en train de devenir son amie, Adèle s'est sentie épuisée, totalement vide. Avant de s'endormir, elle a eu l'intuition que Lauren venait de la sauver d'un grand malheur et lui en a voué une immense gratitude.

Ce soir, Adèle attend boulevard Beaumarchais, devant la galerie où sont exposées des photos de son amie. Elle a prévenu Lauren : « Je ne rentre pas tant que tu n'es pas là. »

Elle s'est forcée à venir. Elle aurait aimé rester chez elle mais elle sait que Lauren lui en veut. Elles ne se sont pas vues depuis des semaines. Adèle a annulé des dîners au dernier moment, elle a trouvé des excuses pour ne pas aller boire un verre. Elle se sent d'autant plus coupable qu'elle a demandé à de nombreuses reprises à son amie de la couvrir. Elle lui a envoyé des messages en pleine nuit pour la prévenir : « Si Richard t'appelle, surtout ne réponds pas. Il pense que je suis avec toi. » Lauren n'a jamais répondu mais Adèle sait que ce rôle finit par l'agacer.

En réalité, Adèle l'évite. La dernière fois

qu'elles se sont retrouvées, pour l'anniversaire de Lauren, elle était pourtant décidée à bien se tenir, à être une amie parfaite et généreuse. Elle l'a aidée à préparer la fête. Elle s'est occupée de la musique et elle a même acheté des bouteilles de ce champagne dont Lauren raffole. À minuit, Richard a quitté l'appartement en s'excusant. « Il faut bien que quelqu'un se dévoue pour libérer la baby-sitter. »

Adèle s'ennuyait. Elle passait de pièce en pièce, quittant une personne au milieu d'une phrase, incapable d'être attentive à quoi que ce soit. Elle s'est mise à rire avec un homme en costume élégant et elle lui a demandé, les yeux brillants, de lui servir un verre. Il a hésité. Il regardait autour de lui avec nervosité. Elle n'a compris son embarras que quand sa femme est arrivée, furieuse, vulgaire. Elle a attaqué Adèle : « Ça va ? Tu te calmes, d'accord ? Il est marié. » Adèle a éclaté d'un rire moqueur et lui a répliqué : « Mais je suis mariée moi aussi. Vous n'avez aucune raison de vous inquiéter. » Elle s'est éloignée, tremblante, glacée. Elle tentait de masquer par un sourire le trouble dans lequel cette femme revêche l'avait plongée.

Elle s'est réfugiée sur le balcon où Matthieu fumait une cigarette. Matthieu, le grand amour de Lauren, son amant qui la berce d'illusions depuis dix ans et dont elle pense encore qu'il finira par l'épouser et lui faire des enfants. Adèle lui a raconté l'incident avec la femme jalouse et il a dit qu'il comprenait qu'on puisse se méfier d'elle. Ils ne se sont plus quittés des yeux. À deux heures du matin, il l'a aidée à enfiler son manteau. Il lui a proposé de la raccompagner en voiture et Lauren a dit, un peu déçue : « C'est vrai que vous êtes voisins. »

Au bout de quelques mètres, Matthieu s'est garé dans une rue adjacente au boulevard Montparnasse et il l'a déshabillée. « J'en ai toujours eu envie. » Il a saisi les hanches d'Adèle et il a posé sa bouche sur son sexe.

Le lendemain Lauren l'a appelée. Elle a demandé si Matthieu avait parlé d'elle, s'il lui avait dit pourquoi il n'avait pas voulu passer la nuit chez elle. Adèle a répondu : « Il n'a parlé que de toi. Tu sais bien que tu l'obsèdes. »

Un déluge de doudounes jaillit de la station de métro Saint-Sébastien-Froissart. Des bonnets gris, des têtes baissées, des paquets qui se balancent dans les mains de femmes qui ont l'âge d'être grand-mères. Dans les arbres, des boules de tailles et de couleurs modestes ont l'air de crever de froid. Lauren agite le bras. Elle porte un long manteau blanc en cachemire, doux et chaud. « Viens, j'ai beaucoup de monde à te présenter », dit-elle en entraînant Adèle par la main.

La galerie comprend deux salles contiguës, assez petites et entre lesquelles on a disposé un buffet de dernière minute, composé de gobelets en plastique, de chips et de cacahuètes dans des assiettes en carton. L'exposition est consacrée à l'Afrique. Adèle s'arrête à peine sur les photos de trains bondés, de villes étouffées de poussière, d'enfants rieurs et de vieux pleins de dignité. Elle aime les photos de Lauren, prises dans les maquis d'Abidjan et de Libreville. On y voit des couples enlacés et transpirants, ivres de danse et de bières de bananes. Des hommes en chemises à manches courtes, kaki ou jaune pâle, tiennent par la main des filles voluptueuses, aux cheveux longs et nattés.

Lauren est occupée. Adèle boit deux coupes de champagne. Elle est agitée. Elle a l'impression que tout le monde voit qu'elle est seule. Elle sort son portable de sa poche, fait semblant d'envoyer un message. Quand Lauren l'appelle, elle remue la tête et montre la cigarette qu'elle tient entre ses doigts gantés. Elle n'a pas envie de répondre aux gens qui lui demandent ce qu'elle fait dans la vie. Elle s'ennuie d'avance en pensant à ces artistes sans le sou, à ces journalistes déguisés en pauvres, à ces blogueurs qui ont des avis sur tout. Faire la conversation lui paraît insoutenable. Être juste là, effleurer la nuit, se perdre en banalités. Rentrer chez soi.

Dehors, un vent glacial, mouillé, lui brûle le visage. C'est peut-être pour ça qu'ils ne sont que deux à fumer leur cigarette sur le trottoir. Le fumeur est petit mais a des épaules rassurantes. Ses yeux gris et étroits se posent sur Adèle. Elle le fixe avec assurance, sans baisser les yeux. Adèle avale un fond de champagne qui lui assèche la langue. Ils boivent et ils parlent. Des banalités, des sourires entendus, des insinuations faciles. La plus belle des conversations. Il lui fait des compliments, elle rit doucement. Il lui demande son nom, elle refuse de le dire et cette parade amoureuse, douce et banale, lui donne envie de vivre.

Tout ce qu'ils disent ne sert qu'à une seule chose : en arriver là. Là, dans cette petite ruelle où Adèle est collée à une poubelle verte. Il a déchiré son collant. Elle pousse de petits gémissements, jette sa tête en arrière. Il introduit ses doigts en elle, pose son pouce sur son clitoris. Elle ferme les yeux pour ne pas croiser le regard des passants. Elle attrape le poing de l'homme, fin et doux et elle l'enfonce en elle. Il se met à gémir lui aussi, s'abandonnant au désir inespéré d'une femme inconnue, un jeudi soir de décembre. Exalté, il en veut plus. Il lui mord le cou, la ramène vers lui, il pose la main sur la ceinture de son pantalon et commence à dégrafer sa braguette. Il est décoiffé, ses yeux se sont élargis à présent, il a un regard d'affamé comme sur les photos de la galerie.

Elle recule, lisse sa jupe. Il passe une main dans ses cheveux et reprend ses esprits. Il lui dit qu'il n'habite pas loin, vraiment, « près de la rue de Rivoli ». Elle ne peut pas. « C'était déjà bien. »

Adèle retourne vers la galerie. Elle a peur que Lauren ne soit partie, peur de devoir rentrer seule. Elle aperçoit le manteau blanc.

« Ah, tu es là.

— Lauren, raccompagne-moi chez moi. Tu sais que j'ai peur. Toi, tu marches seule la nuit. Tu n'as peur de rien.

— Allez, avance. Donne-moi ta cigarette. »

Elles marchent, collées l'une à l'autre, sur le boulevard Beaumarchais.

« Pourquoi tu ne l'as pas suivi ? demande Lauren.

— Il faut que je rentre chez moi. Richard m'attend, je lui ai dit que je ne tarderais pas. Non, je ne veux pas aller par là, dit-elle brusquement, alors qu'elles arrivent sur la place de la République. Il y a des rats dans les buissons. Des rats gros comme des petits chiens, je t'assure. »

Elles remontent les Grands Boulevards. La nuit devient plus noire et Adèle perd en assurance. L'alcool la rend paranoïaque. Tous les hommes les regardent. Devant les vendeurs de kebab, trois types leur lancent un « Salut les filles ! » qui la fait sursauter. Des bandes sortent de boîtes de nuit et du pub irlandais, titubants, rigolards et un peu agressifs. Adèle a peur. Elle voudrait être au lit avec Richard. Les portes et les fenêtres fermées. Lui ne permettrait pas ça. Il ne laisserait personne lui faire du mal, il saurait la défendre. Elle accélère le pas, tire Lauren par le bras. Le plus vite possible, être à la maison, au chevet de Richard, sous son regard tranquille. Demain, elle préparera à dîner. Elle rangera la maison, elle achètera des fleurs. Elle boira du vin avec lui, elle lui racontera sa journée. Elle fera des projets pour le week-end. Elle sera conciliante, douce, servile. Elle dira oui à tout.

« Pourquoi as-tu épousé Richard ? lui demande Lauren, comme si elle devinait ses pensées. Tu étais amoureuse de lui, tu y croyais ? Je n'arrive pas à comprendre comment une femme comme toi a pu se mettre dans cette situation. Tu aurais pu garder ta liberté, vivre ta vie comme tu l'entends, sans tous ces mensonges. Ça me paraît... aberrant. »

Adèle regarde Lauren avec étonnement. Elle est incapable de saisir ce que son amie lui dit.

« Je l'ai épousé parce qu'il me l'a demandé. C'est le premier et le seul à ce jour. Il avait des choses à m'offrir. Et puis, ma mère était si contente. Un médecin, tu te rends compte ?

— Tu es sérieuse ?

— Je ne vois pas pourquoi je devrais rester seule.

— Indépendante, ce n'est pas seule.

— Comme toi, c'est ça ?

— Adèle, je ne t'ai pas vue depuis des semaines et tu as dû passer à peine cinq minutes avec moi ce soir. Je ne suis qu'un alibi. Tu fais n'importe quoi.

— Je n'ai pas besoin d'alibi... Si tu ne veux pas me rendre service, je trouverai une solution.

— Tu ne peux pas continuer comme ça. Tu vas te faire prendre. Et j'en ai assez de devoir regarder ce pauvre Richard dans les yeux pour lui débiter des mensonges.

— Un taxi ! » Adèle se précipite sur la chaussée

et arrête la voiture. « Merci d'avoir marché avec moi. Je t'appelle. »

Adèle entre dans le hall de son immeuble. Elle s'assoit sur les escaliers, sort de son sac une paire de collants neufs et les enfile. Elle s'essuie le visage, le cou, les mains avec des lingettes pour enfant. Elle se coiffe. Elle monte.

Le salon est plongé dans le noir. Elle sait gré à Richard de ne pas l'avoir attendue. Elle enlève son manteau et ouvre la porte de la chambre. « Adèle ? C'est toi ? — Oui, rendors-toi. » Richard se tourne. Il tend la main dans le vide, essaie de la toucher. « J'arrive. »

Il n'a pas fermé les volets et alors qu'elle se glisse dans le lit, Adèle peut voir les traits apaisés de son mari. Il lui fait confiance. C'est aussi simple et aussi brutal que cela. S'il se réveillait, verrait-il sur elle les traces que cette nuit a laissées ? S'il ouvrait les yeux, s'il se rapprochait d'elle, sentirait-il une odeur suspecte, lui trouverait-il un air coupable ? Adèle lui en veut de sa naïveté, qui la persécute, qui alourdit sa faute et la rend plus méprisable encore. Elle voudrait griffer ce visage lisse et tendre, éventrer ce sommier rassurant.

Elle l'aime pourtant. Elle n'a que lui au monde.

Elle se convainc que c'était sa dernière chance. Qu'on ne l'y reprendra plus. Qu'elle dormira désormais dans ce lit la conscience tranquille. Il pourra bien la regarder, il n'y aura rien à voir.

Adèle a bien dormi. La couette ramenée sur le menton, elle raconte à Richard qu'elle a rêvé de la mer. Pas la mer de son enfance, verdâtre et vieille, mais la mer, la vraie, celle des lagons, des calanques et des pins parasols. Elle était couchée sur une surface dure et brûlante. Un rocher peut-être. Elle était seule et avec précaution, avec pudeur, elle enlevait son soutien-gorge. Les yeux mi-clos, elle se tournait vers le large et des milliers d'étoiles, reflets du soleil sur l'eau, l'empêchaient d'écarter les paupières. « Et dans ce rêve, je me disais : souviens-toi de ce jour. Souviens-toi comme tu as été heureuse. »

Elle entend le pas de son fils sur le parquet. La porte de la chambre s'ouvre lentement et apparaît le visage rond et gonflé de Lucien. « Maman », gémit-il en se grattant les yeux. Il monte dans le lit et lui, d'habitude si rétif aux caresses, si brutal, pose sa tête sur l'épaule d'Adèle. « Tu as bien dormi, mon amour ? » demande-t-elle doucement, avec une infinie précaution, comme si elle craignait que la moindre maladresse ne vienne briser ce moment de grâce. « Oui, j'ai bien dormi. »

Elle se lève, l'enfant dans les bras, et se dirige vers la cuisine. Elle est exaltée, comme le sont les imposteurs qu'on n'a pas encore démasqués. Pleine de la gratitude d'être aimée, et tétanisée à l'idée de tout perdre. Rien, à présent, ne lui semble plus précieux que le bruit rassurant du rasoir électrique au fond du couloir. Rien ne lui semble valoir la peine de mettre en danger les matins dans les bras de son fils, cette tendresse, ce besoin qu'il a d'elle et que personne d'autre n'aura. Elle prépare des crêpes. Change rapidement la nappe qu'elle a laissée sur la table depuis une semaine, malgré la tache jaune au centre. Elle prépare du café pour Richard et s'assoit à côté de Lucien. Elle le regarde croquer dans la crêpe, sucer ses doigts pleins de confiture.

En attendant que son mari sorte de la salle de bains, elle déplie une feuille en papier et commence une liste. Des choses à faire, à rattraper surtout. Elle a les idées claires. Elle va nettoyer le quotidien, se débarrasser, une à une, de ses angoisses. Elle va remplir son devoir.

Quand elle arrive au journal, l'open space est presque vide. Il n'y a que Clémence, qui de toute façon a l'air d'habiter ici. D'ailleurs elle porte toujours les mêmes vêtements. Adèle se sert un café et range son bureau. Elle jette les paquets d'articles qu'elle a imprimés, les invitations à des événements qui ont déjà eu lieu. Elle classe dans de petits dossiers vert et bleu les documents qui lui paraissent intéressants mais qu'à coup sûr elle ne consultera plus jamais. L'esprit clair, la conscience apaisée, elle se met au travail. Elle compte « un, deux, trois », pour vaincre sa répugnance à appeler les gens et commence à téléphoner. « Rappelez plus tard. » « Ah non, pour ce genre de demande il faut envoyer un mail. » « Quoi ? Quel journal ? Non, je n'ai rien à dire. » Elle se cogne aux obstacles, les affronte bravement. Elle retourne au combat chaque fois, repose les questions auxquelles on refuse de lui répondre. Elle insiste. Quand elle n'arrive plus à écrire, elle marche dans le long couloir qui mène vers une petite cour intérieure. Elle sort fumer une cigarette, ses notes à la main, et répète à haute voix son accroche et sa chute.

À seize heures, son article est terminé. Elle a trop fumé. Elle n'est pas satisfaite. Dans la rédaction, tout le monde s'anime. Cyril est exalté. « Un truc pareil, ça n'est jamais arrivé en Tunisie. Je te le dis, ça va dégénérer. Cette histoire va finir dans le sang. » Elle s'apprête à envoyer son papier au rédacteur en chef quand son téléphone se met à vibrer. Le téléphone blanc. Elle le cherche au fond de son sac. L'ouvre.

« Adèle, je n'arrête pas de penser à toi, à cette nuit magique. Il faut qu'on se revoie. Je serai à Paris la semaine prochaine, on pourrait prendre un verre ou dîner, comme tu voudras. Ça ne peut pas s'arrêter là. Nicolas. »

Elle efface immédiatement le message. Elle est furieuse. Elle a rencontré ce type pendant un colloque à Madrid, il y a un mois. Personne n'avait envie de travailler. Les journalistes ne pensaient qu'à profiter de l'alcool gratuit et de leurs chambres de luxe payées par un think-tank aux financements opaques. Elle a suivi Nicolas dans sa chambre, vers trois heures du matin. Il avait un nez busqué et de très beaux cheveux. Ils ont fait l'amour, bêtement. Il n'arrêtait pas de la pincer, de la mordre. Elle ne lui a pas demandé de mettre de préservatif. Elle était soûle, c'est vrai, mais elle l'a laissé la sodomiser sans préservatif.

Le lendemain matin, dans le hall de l'hôtel, elle s'est montrée glaciale. Elle n'a pas dit un mot dans la voiture qui les menait à l'aéroport. Il semblait surpris, déboussolé. Il n'a pas eu l'air de comprendre qu'il la dégoûtait.

Elle lui a donné son numéro. Sans savoir pourquoi, elle lui a donné le numéro du téléphone blanc qu'elle réserve d'habitude à ceux qu'elle veut revoir. Tout à coup, elle se souvient qu'elle lui a dit où elle habitait. Ils ont parlé de son quartier et il a précisé : « J'adore le 18ᵉ. »

Adèle n'a pas envie d'aller à ce dîner. Elle a eu du mal à choisir sa tenue, ce qui augure d'une mauvaise soirée. Ses cheveux sont ternes, sa peau est plus pâle que jamais. Elle reste enfermée dans la salle de bains et répond mollement quand Richard la presse. Derrière la porte, elle l'entend discuter avec la baby-sitter. Lucien dort déjà.

Adèle a fini par s'habiller en noir. C'est une couleur qu'elle ne portait jamais quand elle était plus jeune. Sa garde-robe était fantasque, elle allait du rouge à l'orange vif, des jupes jaune citron aux escarpins bleu électrique. Depuis qu'elle fane et que son éclat lui semble disparu, elle préfère des teintes sombres. Elle ajoute de gros bijoux sur ses pulls gris et ses cols roulés noirs.

Ce soir, elle choisit un pantalon d'homme et un pull échancré dans le dos. Elle souligne ses yeux verts, couleur d'étang japonais, d'un trait de crayon turquoise. Elle a mis du rouge à lèvres puis l'a effacé. Elle garde autour de la bouche une trace rougeâtre comme si on venait de l'embrasser goulûment. À travers la porte, elle entend la voix de Richard qui demande gentiment : « Tu es bientôt prête ? » Elle sait qu'il sourit à la baby-sitter l'air de dire « ah, ce que les femmes sont coquettes ». Adèle est prête mais elle veut qu'il l'attende. Elle étend une serviette sur le sol de la salle de bains et se couche. Elle ferme les yeux et fredonne une chanson.

Richard lui parle sans cesse de Xavier Rançon, l'homme chez qui ils sont conviés. Xavier est un chirurgien brillant, descendant d'une longue lignée de chercheurs et de médecins renommés. « Un type qui a une éthique », a tenu à préciser Richard. Et Adèle a répondu, pour lui faire plaisir : « Je serais ravie de le rencontrer. »

Le taxi les dépose devant les grilles d'une allée privée. « La classe ! » s'enthousiasme Richard. Adèle aussi trouve les lieux magnifiques mais elle préférerait s'étrangler plutôt que de paraître s'en émouvoir. Elle hausse les épaules. Ils poussent la grille et remontent le petit chemin pavé jusqu'à la porte d'une villa étroite, sur trois niveaux. L'architecture Art déco a été préservée mais les nouveaux propriétaires ont ajouté un étage sur lequel ils ont installé une large terrasse arborée.

Adèle sourit timidement. L'homme qui les accueille se penche vers elle. Il est trapu et porte une chemise blanche trop serrée qu'il a glissée dans son jean. « Bonjour, Xavier.

— Bonjour. Sophie », se présente la maîtresse de maison.

Adèle tend sa joue en silence.

« Je n'ai pas entendu ton prénom, s'excuse Sophie d'une voix d'institutrice.

— Adèle.

— C'est mon épouse. Bonsoir », dit Richard.

Ils montent des escaliers en bois clair et pénètrent dans un immense salon, meublé de deux canapés taupe et d'une table danoise des années 50. Tout est ovale et soigné. Une immense photographie en noir et blanc, représentant un théâtre cubain désaffecté, orne le mur du fond. Sur une étagère, une bougie répand une odeur rassurante de boutique de luxe.

Richard rejoint les hommes, qui se sont assis derrière le bar. Ils parlent fort, ils rient à des blagues éculées. Ils se frottent les mains en regardant Xavier qui leur verse des verres de whisky japonais.

« Une petite coupe ? » propose Sophie aux femmes qui l'entourent.

Adèle tend son verre. Elle regarde du côté des hommes et cherche une porte de sortie, une issue pour les rejoindre et fuir le groupe de perruches au milieu duquel elle se retrouve. Ces femmes ne sont rien. Elle n'éprouverait même pas de plaisir à les impressionner. Elle crève d'être là, à les écouter.

« ... Alors j'ai dit à Xavier, écoute, chéri, si on

veut cet étage en plus, il faut le faire! C'est sûr, c'est trois mois de travaux mais aujourd'hui, le résultat c'est qu'on a un salon-cathédrale dans une villa en plein Paris... Les travaux? L'horreur! C'est un boulot à plein temps. Heureusement que je ne bossais pas. En même temps, on est tellement heureux d'avoir acheté... Quelle idée de gâcher des milliers d'euros en loyer. Ici? Du 10, 11 000 du mètre carré. C'est effarant...

— Quoi? Les petits? Oh, ils dorment depuis longtemps! On est un peu stricts sur les horaires, du coup ils ne vous ont pas attendus. Mais j'aurais aimé que vous les voyiez, ils ont tellement grandi... Marie-Lou fait du violon et Arsène commence la diversification. On a trouvé une fille géniale pour les garder. C'est une Africaine, très sympa. Elle parle bien français... Oui, elle a des papiers. Sans papiers, ça ne me dérange pas pour le ménage ou pour des petits travaux, mais pour mes enfants, jamais. Ce serait irresponsable, non? Le seul truc, c'est qu'elle fait ramadan et ça, moi, ça me dépasse. On ne peut pas garder des enfants avec la faim au ventre... Non, tu as raison, ce n'est pas raisonnable. Mais je me dis qu'elle va s'en rendre compte et arrêter d'elle-même. Et toi, Adèle, qu'est-ce que tu fais?

— Je suis journaliste.

— Oh! Ça doit être intéressant! » s'exclame Sophie en reservant le verre vide que lui tend Adèle. Elle la fixe en souriant, comme on regarde un enfant timide qui hésite à parler.

« Bon, je vous invite à passer à table. »

Adèle remplit son verre de vin. Xavier, qui l'a placée à sa droite, lui prend la bouteille des mains et s'excuse de ne pas l'avoir servie. Les gens rient aux plaisanteries de Richard. Elle ne le trouve pas drôle. Elle ne comprend pas qu'il puisse retenir l'attention.

De toute façon, elle ne les entend plus. Elle est ombrageuse, amère. Ce soir, elle n'arrive pas à exister. Personne ne la voit, personne ne l'écoute. Elle n'essaie même pas de chasser les flashs qui lui déchirent l'esprit, qui lui brûlent les paupières. Elle agite sa jambe sous la table. Elle a envie d'être nue, que quelqu'un lui touche les seins. Elle voudrait sentir une bouche contre la sienne, palper une présence silencieuse, animale. Elle n'aspire qu'à être voulue.

Xavier se lève. Adèle le suit jusqu'aux toilettes, au fond d'un couloir étroit. Quand il sort, elle se met en travers de son chemin et le frôle jusqu'à sentir qu'il est mal à l'aise. Il rejoint la salle à manger sans se retourner. Elle entre dans les toilettes, reste debout devant la glace et bouge les lèvres en souriant, mimant une conversation polie avec elle-même. Sa bouche est sèche et violette.

Elle revient s'asseoir et pose sa main sur le genou de Xavier qui retire sa jambe vivement. Elle peut sentir l'effort qu'il fait pour éviter son regard. Elle boit pour s'enhardir encore.

« Vous avez un petit garçon, Adèle ? lui demande Sophie.

— Oui. Il a trois ans dans un mois.

— Adorable! Et le deuxième, c'est pour quand?

— Je ne sais pas. Probablement jamais.

— Oh non! Un enfant unique, c'est trop triste. Quand je vois le bonheur que c'est d'avoir un frère ou une sœur, je ne pourrais jamais en priver mes enfants.

— Adèle trouve que les enfants prennent trop de temps, s'amuse Richard. Mais une fois qu'on sera dans notre grande maison, avec jardin, elle n'aura qu'une envie, c'est de voir gambader les enfants, n'est-ce pas, chérie? On s'installe à Lisieux l'année prochaine. J'ai eu une proposition en or pour m'associer dans une clinique! »

Elle ne pense plus qu'à ça. À se retrouver seule avec Xavier, pour cinq minutes seulement, là-bas, au fond du couloir où l'on entend l'écho des conversations du salon. Elle ne le trouve pas beau, ni même séduisant. Elle ne sait pas de quelle couleur sont ses yeux mais elle est certaine qu'elle se sentirait soulagée s'il glissait la main sous son pull puis sous son soutien-gorge. S'il la poussait contre le mur, s'il frottait son sexe contre elle, si elle pouvait sentir qu'il la désire autant qu'elle le désire. Ils ne pourraient pas aller plus loin, il faudrait faire vite. Elle aurait le temps de toucher son sexe, peut-être même de se mettre à genoux pour le sucer. Ils se mettraient à rire, ils retourneraient dans le salon. Ils n'iraient pas plus loin et ce serait parfait.

Sophie est une femme sans attrait, pense Adèle en fixant des yeux l'affreux bijou fantaisie que la maîtresse de maison a autour du cou. Un collier fait de boules en plastique bleu et jaune retenus par un ruban en soie. C'est une femme plate, se convainc-t-elle, une perruche idiote. Elle se demande comment ce genre de femmes, les femmes ordinaires, font l'amour. Elle se demande si elles savent prendre du plaisir, en donner, si elles disent « faire l'amour » ou « baiser ».

Dans le taxi du retour, Richard est tendu. Adèle sait qu'il est contrarié. Qu'elle est trop soûle et qu'elle s'est donnée en spectacle. Mais Richard ne dit rien. Il penche sa tête en arrière, retire ses lunettes et ferme les yeux.

« Pourquoi tu dis à tout le monde qu'on va s'installer en province ? Je ne t'ai jamais dit que j'étais d'accord et toi tu fais comme si c'était acquis, le provoque Adèle.

— Tu n'es pas d'accord ?

— Je n'ai pas dit cela non plus.

— Donc, tu ne dis rien. De toute façon, tu ne dis jamais rien, constate-t-il d'une voix calme. Tu ne te prononces pas, alors ne me reproche pas de prendre des décisions. Et sincèrement, je ne sais pas pourquoi tu as besoin de te comporter comme ça. De te soûler, de parler aux gens de haut comme si tu avais tout compris de la vie et qu'on n'était qu'une bande de moutons imbéciles à tes yeux. Tu sais, tu es tout aussi ordinaire que nous, Adèle. Le jour où tu l'accepteras, tu seras beaucoup plus heureuse. »

La première fois qu'Adèle a visité Paris, elle avait dix ans. C'étaient les vacances de la Toussaint et Simone avait pris une chambre dans un petit hôtel sur le boulevard Haussmann. Les premiers jours, elle a laissé Adèle seule dans la chambre. Elle lui a fait jurer de n'ouvrir la porte à personne, sous aucun prétexte. « Les hôtels sont des endroits dangereux. Surtout pour une petite fille. » Adèle a eu envie de lui dire : « Ne me laisse pas, alors. » Mais elle n'a rien dit.

Le troisième jour, Adèle s'est couchée sous la couette épaisse du grand lit d'hôtel et elle a allumé la télévision. Elle a vu le jour tomber à travers la petite fenêtre qui donnait sur une cour grise et sombre. La nuit avait envahi la chambre et sa mère n'était toujours pas là. Adèle a essayé de dormir, bercée par les rires et les jingles de publicités qui défilaient sur l'écran. Elle avait mal à la tête. Elle avait perdu la notion du temps.

Affamée, elle n'a pas osé se servir dans le minibar dont sa mère avait dit que c'était un « piège à touristes ». Elle a fouillé au fond de son sac à dos à la recherche d'une barre chocolatée ou d'un reste de sandwich au jambon. Elle n'a trouvé que deux bonbons sales sur lesquels étaient restés collés les lambeaux d'un mouchoir en papier.

Elle était en train de s'endormir quand on a frappé à la porte. Avec insistance. Des coups de plus en plus forts. Adèle s'est approchée de la porte qui n'avait pas de judas. Elle ne pouvait pas voir qui était derrière et elle n'osait pas ouvrir. « Qui est là ? » a-t-elle demandé d'une voix tremblante. Elle n'a reçu aucune réponse. Les coups redoublaient de vigueur, elle entendait des pas dans le couloir de l'hôtel. Elle a eu l'impression de percevoir un souffle, long et rauque, un souffle agacé qui allait finir par faire sauter les gonds de la porte.

Elle a eu si peur qu'elle s'est cachée sous le lit, en sueur, persuadée que les assaillants allaient entrer et la trouver là, en larmes, le visage enfoncé dans la moquette beige. Elle a songé à appeler la police, à crier au secours, à hurler jusqu'à ce qu'on lui vienne en aide. Mais elle était incapable de bouger, à moitié évanouie, confite de terreur.

Quand Simone a ouvert la porte, vers vingt-deux heures, Adèle s'était endormie. Son pied dépassait du lit et Simone lui a saisi la cheville.

« Mais qu'est-ce que tu fais là? Qu'est-ce que tu es encore allée trouver comme bêtise à faire?

— Maman! Tu es là! » Adèle s'est relevée et s'est jetée dans les bras de sa mère. « Quelqu'un a essayé d'entrer! Je me suis cachée. J'ai eu si peur. »

Simone lui a saisi les épaules, l'a examinée avec attention et d'une voix froide, elle lui a dit:

« Tu as bien fait de te cacher. C'est exactement ce qu'il fallait faire. »

La veille de leur retour, Simone a tenu sa promesse et a fait visiter la ville à Adèle. Un homme les accompagnait, un homme dont Adèle ne se souvient ni du visage ni même du nom. Elle se rappelle seulement son odeur de musc et de tabac et de Simone qui lui a dit, nerveuse et tendue: « Adèle, dis bonjour au monsieur. »

Monsieur les a emmenées déjeuner dans une brasserie près du boulevard Saint-Michel et a fait goûter à Adèle sa première gorgée de bière. Ils ont traversé la Seine et marché jusqu'aux Grands Boulevards. Adèle traînait devant les vitrines de jouets des passages Verdeau, Jouffroy et de la galerie Vivienne sans écouter Simone qui s'impatientait. Et puis, ils sont allés à Montmartre. « Ça plaira à la petite », répétait Monsieur. Place Pigalle, ils ont pris le train touristique et Adèle, coincée entre sa mère et l'homme, a découvert le Moulin-Rouge avec terreur.

Elle garde de cette visite à Pigalle un souvenir noir, effrayant, à la fois glauque et terriblement vivant. Sur le boulevard de Clichy, vrai ou pas, elle se souvient d'avoir vu des prostituées, par dizaines, dénudées malgré la bruine de novembre. Elle se souvient de groupes de punks, de drogués à la démarche chancelante, de maquereaux aux cheveux pommadés, de transsexuels aux seins pointus et aux sexes moulés dans des jupes léopard. Protégée par le cahotement de ce train aux allures de jouet géant, serrée entre sa mère et l'homme qui se lançaient des regards lubriques, Adèle a ressenti pour la première fois ce mélange de peur et d'envie, de dégoût et d'émoi érotique. Ce désir sale de savoir ce qu'il se passait derrière les portes des hôtels de passe, au fond des cours d'immeuble, sur les fauteuils du cinéma Atlas, dans l'arrière-salle des sex-shops dont les néons roses et bleus trouaient le crépuscule. Elle n'a jamais retrouvé, ni dans les bras des hommes, ni dans les promenades qu'elle a faites des années plus tard sur ce même boulevard, ce sentiment magique de toucher du doigt le vil et l'obscène, la perversion bourgeoise et la misère humaine.

Pour Adèle, les vacances de Noël sont un tunnel sombre et froid, une punition. Parce qu'il est bon et généreux, parce qu'il place la famille au-dessus du reste, Richard a promis de s'occuper de tout. Il a acheté les cadeaux, fait réviser la voiture et cette fois encore, il a trouvé pour Adèle un merveilleux présent.

Elle a besoin de vacances. Elle est épuisée. Il ne se passe pas un jour sans qu'on lui fasse remarquer sa maigreur, ses traits tirés et ses changements d'humeur. « L'air frais te fera du bien. » Comme si à Paris l'air était moins frais qu'ailleurs.

Chaque année, ils passent Noël à Caen dans la famille Robinson, et le nouvel an chez les parents d'Adèle. C'est devenu une tradition, comme aime à le répéter Richard. Elle a bien essayé de le convaincre qu'il était inutile d'aller jusqu'à Boulogne-sur-Mer pour voir ses parents, qui de toute façon n'en ont que faire. Mais Richard insiste, pour Lucien, « qui a besoin de connaître ses grands-parents », et pour elle aussi, « parce que la famille, c'est important ».

La maison des parents de Richard sent le thé et le savon de Marseille. Odile, la belle-mère d'Adèle, sort rarement de son immense cuisine. Elle vient parfois s'asseoir au salon, sourit aux convives qui prennent l'apéritif, lance une conversation et disparaît à nouveau derrière ses fourneaux. « Reste, maman, enfin, se plaint Clémence, la sœur de Richard. On est venus ici pour te voir, pas pour manger », aime-t-elle à répéter, en se goinfrant de tartines de foie gras et de biscuits à la cannelle. Elle propose toujours à sa mère de l'aider, jure qu'elle s'occupera de la préparation du prochain dîner. Et au grand soulagement d'Odile, elle sombre dans une interminable sieste, souvent trop soûle pour reconnaître les ingrédients de l'entrée.

Les Robinson savent recevoir. Richard et Adèle sont accueillis dans des bruits de rires et de bouchons de champagne. Un immense sapin est installé dans un coin du salon. L'arbre est si haut que sa cime touche le plafond et rebique, donnant l'impression qu'il va s'effondrer d'un instant à l'autre. « C'est ridicule, ce sapin, non ? glousse Odile. J'ai dit à Henri qu'il était trop grand mais il n'a pas voulu en démordre. »

Henri hausse les épaules et écarte les mains dans un geste d'impuissance. « Je me fais vieux... » Il plonge son regard bleu dans les yeux d'Adèle, en signe de reconnaissance, comme s'ils étaient fait de la même trempe, comme s'ils appartenaient à la même tribu. Elle se penche vers lui et l'embrasse, respirant à pleines narines son odeur de vétiver et de mousse à raser.

« À table ! »

Les Robinson mangent et quand ils mangent, ils parlent de nourriture. Ils se confient des recettes, des adresses de restaurants. Avant le repas, Henri va chercher dans la cave des bouteilles de vin qui sont accueillies par de grands « Ah » d'excitation. Tout le monde le regarde ouvrir la promise, verser le nectar dans une carafe, commenter la couleur. On fait silence. Henri verse un peu de vin dans un verre, en apprécie le nez. Il goûte. « Ah, mes enfants... »

Au petit déjeuner, où les enfants mangent sur les genoux de leurs parents, Odile prend un air grave. « Maintenant, il faut me dire. Qu'est-ce que vous voulez manger à midi ? articule-t-elle lentement. — Ce que tu veux », ont coutume de répondre Clémence et Richard, habitués au manège de leur mère. À midi, alors qu'Henri ouvre la troisième bouteille de ce petit vin espagnol « qui passe bien », les lèvres encore grasses des terrines et des fromages qui se sont succédé, Odile se lève et, son cahier à la main, elle se lamente. « Je n'ai aucune inspiration pour le menu de ce soir. De quoi vous avez envie ? » Personne ne répond, ou mollement. Éméché, engourdi par une furieuse envie de faire la sieste, Henri finit parfois par s'énerver. « On n'a même pas terminé de déjeuner que déjà tu nous emmerdes ! » Odile se tait et fait la tête comme une jeune fille.

Ce manège fait rire Adèle autant qu'il l'irrite. Elle ne comprend pas cet hédonisme de bon ton, cette obsession qui semble avoir gagné tout le monde du « bien boire » et du « bien manger ». Elle a toujours aimé avoir faim. Se sentir fléchir, chavirer, entendre son ventre se creuser et puis vaincre, ne plus avoir envie, être au-dessus de ça. Elle a cultivé la maigreur comme un art de vivre.

Ce soir encore, le dîner s'éternise. Personne n'a remarqué qu'Adèle a à peine mangé. Odile n'insiste plus pour la resservir. Richard est un peu soûl. Il parle politique avec Henri. Ils se traitent de fascistes, de réactionnaires bourgeois. Laurent essaie de s'inviter dans la conversation.

« Par contre...

— En revanche, le coupe Richard. On ne dit pas "par contre" mais "en revanche". »

Adèle pose sa main sur l'épaule de Laurent, se lève et monte dans sa chambre.

Odile leur donne toujours la chambre jaune, la plus silencieuse et la plus grande. C'est une pièce un peu lugubre, au sol glacé. Adèle se met au lit, frotte ses pieds l'un contre l'autre et sombre dans un sommeil morbide. Au cours de la nuit, elle a parfois l'impression de reprendre mollement conscience. Son esprit est en veille mais son corps a la rigidité d'un cadavre. Elle sent la présence de Richard à côté d'elle. Elle a l'angoissante sensation qu'elle ne pourra jamais s'extirper de cette léthargie. Qu'elle ne se réveillera pas de ces rêves trop profonds.

Elle entend Richard prendre sa douche. Elle perçoit le temps qui passe. Devine que le matin est là. La voix de Lucien, le bruit des casseroles, loin, dans la cuisine d'Odile, parviennent jusqu'à elle. Il est tard mais elle n'a pas la force de se lever. Juste cinq minutes, se dit-elle. Encore cinq minutes et la journée pourra commencer.

Quand elle sort de sa chambre, les yeux gonflés et les cheveux mouillés, la table du petit déjeuner a été débarrassée. Richard lui a laissé un petit plateau dans la cuisine. Adèle s'assoit devant son café. Elle sourit à Odile qui soupire : « J'ai un de ces travails aujourd'hui, je ne sais pas comment je vais m'en sortir. »

À travers la baie vitrée, Adèle regarde le jardin. Les grands pommiers, la bruine, et les enfants qui glissent sur le toboggan mouillé, engoncés dans leurs doudounes. Richard joue avec eux. Il a enfilé des bottes et fait signe à Adèle de les rejoindre. Il fait trop froid. Elle ne veut pas sortir.

« Tu es très pâle. Tu as mauvaise mine », dit Richard en entrant. Il tend ses mains vers son visage.

Henri et Clémence ont insisté pour venir visiter la maison. « Je veux voir ça. Tu sais qu'ils l'appellent le manoir dans le coin ? » Odile les a presque poussés dehors, ravie d'être seule pour les préparatifs de Noël. Laurent s'est dévoué pour garder les enfants.

Richard est nerveux. Il houspille Clémence qui tarde à monter dans la voiture. Il fait promettre à son père de se taire pendant la visite. « C'est moi qui pose les questions, tu as compris ? Tu ne mets pas ton grain de sel. » Adèle est assise à l'arrière, sage et indifférente. Elle regarde les grosses cuisses de Clémence qui s'étalent sur le siège. Ses mains aux ongles rongés.

Richard se retourne sans cesse. Elle a beau lui dire de regarder devant lui, c'est elle qu'il regarde comme pour prendre note de l'impression que cette route de campagne laisse sur elle. Que pense-t-elle de ces collines humides, de la route qui monte, du lavoir en contrebas ? Que pense-t-elle de l'entrée du village ? De l'église qui, seule, a survécu aux bombardements de la guerre ? Se voit-elle marcher, jour après jour, au milieu de ces coteaux piqués de pommiers tordus ? Dans ces vallons traversés de cours d'eau, sur ce petit chemin qui mène à la maison ? Aime-t-elle ce mur ébouriffé de lierre ? Le visage fermé, presque collé contre la vitre, Adèle se refuse au moindre commentaire. Elle contrôle jusqu'au battement de ses cils.

Richard gare la voiture devant le portail en bois. M. Rifoul les attend, debout, les mains croisées derrière le dos comme un châtelain figé dans le temps. C'est un véritable géant, obèse et rouge. Ses mains sont aussi larges qu'un visage d'enfant, ses pieds semblent prêts à enfoncer le sol. Ses cheveux, épais et bouclés, passent du jaune au blanc. De loin, il est impressionnant. Mais lorsqu'elle s'approche pour le saluer, Adèle remarque ses ongles longs. Le bouton manquant au milieu de sa chemise. Une tache douteuse au niveau de son entrejambe.

Le propriétaire tend les bras vers la porte d'entrée et ils pénètrent dans la maison. Richard saute comme un chiot sur les marches du perron. Il ponctue de « ah oui », de « très bien », la visite du salon, de la cuisine et de la véranda. Il s'enquiert du chauffage, de l'état de l'électricité. Il consulte son calepin et dit : « Et l'étanchéité ? » Entre le salon dont de larges portes-fenêtres donnent sur un charmant jardin et la vieille cuisine, M. Rifoul les fait entrer dans une petite pièce aménagée en bureau. Il leur ouvre la porte à contrecœur. La pièce n'est pas entretenue et dans le rai de lumière qui échappe aux rideaux bleus vole un épais bloc de poussière.

« Ma femme lisait beaucoup. Je prendrai les livres. Mais je peux laisser le bureau si vous voulez. » Adèle fixe le lit d'hôpital, collé contre le mur et sur lequel des draps blancs sont soigneusement pliés. Un chat s'est caché sous le fauteuil. « À la fin, elle ne pouvait plus monter. »

Ils empruntent l'escalier en bois. Sur tous les murs, des photos de la morte, souriante et belle. Dans la grande chambre, dont les fenêtres donnent sur un marronnier centenaire, une brosse est posée sur la table de chevet. M. Rifoul se baisse et, de sa main immense, il lisse le couvre-lit imprimé de fleurs roses.

C'est une maison pour vieillir, pense Adèle. Une maison pour les cœurs tendres. Elle est faite pour les souvenirs, pour les copains qui passent et ceux qui partent à la dérive. C'est une arche, un dispensaire, un refuge, un sarcophage. Une aubaine pour les fantômes. Un décor de théâtre.

Ont-ils vieilli à ce point ? Leurs rêves peuvent-ils s'arrêter ici ?

Est-il déjà l'heure de mourir ?

Dehors, tous les quatre observent la façade. Richard se tourne vers le parc et tend la main.

« Ça va jusqu'où ?

— Loin, très loin. Tout ce verger-là, vous voyez ? Tout cela c'est à vous.

— Tu vas pouvoir en faire des tartes et de la compote pour Lucien ! » rit Clémence.

Adèle regarde ses pieds. Ses mocassins vernis sont trempés par l'herbe mouillée. Ce ne sont pas des chaussures pour la campagne.

« Donne-moi les clés », demande-t-elle à Richard.

Elle s'assoit dans la voiture, se déchausse et réchauffe ses pieds entre ses mains.

« Xavier? Comment as-tu trouvé mon numéro?

— J'ai appelé ton bureau. Ils m'ont dit que tu étais en vacances mais j'ai expliqué que c'était urgent... »

Elle devrait répondre qu'elle est contente d'avoir de ses nouvelles mais qu'il ne faut pas qu'il se fasse des idées. Elle est vraiment désolée pour son comportement de l'autre soir, elle n'aurait pas dû. Elle avait trop bu, elle était un peu triste, elle ne sait pas ce qui lui a pris. Ça n'est pas dans ses habitudes. Jamais elle n'a fait une chose pareille. Il faut oublier, faire comme si ça n'était jamais arrivé. Elle a tellement honte. Et puis, elle aime Richard, elle ne pourrait jamais lui faire ça, surtout pas avec lui, Xavier, qu'il admire tant et dont il est si fier d'être l'ami.

Elle ne dit rien de tout cela.

« Je te dérange? Tu peux parler?

— Je suis chez mes beaux-parents. Mais je peux parler, oui.

— Tu vas bien ? » demande-t-il d'une voix totalement différente.

Il lui dit qu'il voudrait la revoir. Qu'elle l'a troublé au point qu'il n'a pas fermé l'œil ce soir-là. S'il s'est montré si froid, c'est parce qu'il a été surpris, par son attitude à elle et par son désir à lui. Il se rend bien compte qu'il ne devrait pas, il a essayé de résister à l'envie de l'appeler. Il a tout fait pour ne plus penser à elle. Mais il faut qu'il la voie.

À l'autre bout du fil, Adèle ne dit rien. Elle sourit. Son silence gêne Xavier qui n'arrête pas de parler et finit par lui proposer de se retrouver pour boire un verre. « Où tu voudras. Quand tu voudras.

— Il vaudrait mieux qu'on ne nous voie pas ensemble. Comment voudrais-tu que j'explique à Richard ? » Elle regrette d'avoir dit ça. Il va comprendre qu'elle a l'habitude, que ces précautions sont son quotidien.

Au contraire, il prend cela pour de la déférence, pour un désir farouche mais résolu.

« Tu as raison. À ton retour ? Appelle-moi, s'il te plaît. »

Elle a choisi une robe grenat. Une robe en dentelle, à manches courtes, qui laisse deviner des pans de peau sur le ventre et les cuisses. Elle déplie la robe lentement sur son lit. Elle arrache l'étiquette et tire un fil. Elle aurait dû prendre la peine de trouver une paire de ciseaux.

Elle met à Lucien la chemise et les petits mocassins en cuir que sa grand-mère lui a achetés. Assis par terre, son camion entre les jambes, son fils est très pâle. Cela fait deux jours qu'il ne dort pas. Il se lève aux aurores, refuse de faire la sieste. Il écoute, les yeux écarquillés, les promesses des grandes personnes sur la nuit de Noël. Amusé puis las, il subit le chantage que tous exercent sur lui. Il n'est plus dupe des menaces que l'on fait planer. « Si tu n'es pas sage... » Que le père Noël passe. Qu'on en finisse.

En haut des escaliers, la main de son fils dans la sienne, elle sait que Laurent la regarde.

Tandis qu'elle descend, il s'apprête à parler, à lui faire un compliment sur cette robe provocante et balbutie quelque chose qu'elle n'entend pas. Toute la soirée, il la photographie, prenant pour prétexte l'obsession de Clémence pour les souvenirs. Elle fait semblant de ne pas remarquer qu'il la scrute, l'œil caché derrière son appareil. Lui croit saisir par hasard une beauté froide et innocente. Il n'a droit qu'à des poses savamment calculées.

Odile installe un fauteuil près de l'arbre de Noël. Henri remplit les coupes de champagne. Clémence coupe des bouts de papier et cette année, pour la première fois, c'est Lucien qui désigne celui qui va recevoir les cadeaux. Adèle est mal à l'aise. Elle voudrait rejoindre les enfants dans la salle à manger et s'allonger au milieu des Lego et des landaus miniatures. Elle se surprend à prier qu'on ne tire pas son nom.

Mais on le tire quand même. « Adèle, ha ! » se mettent-ils à crier. Ils se frottent les mains, entament autour du siège une danse fébrile. « Tu as vu le paquet d'Adèle ? Henri, le petit paquet rouge, est-ce que tu l'as vu ? » s'inquiète Odile.

Richard ne dit rien.

Il ménage son effet, assis sur l'accoudoir du canapé. Une fois les genoux d'Adèle submergés d'écharpes, de moufles qu'elle ne mettra jamais, de livres de cuisine qu'elle n'ouvrira pas, Richard s'avance vers elle. Il lui tend une boîte. Clémence lance à son mari un regard plein de reproches.

Adèle déchire le paquet et quand apparaît, sur la petite boîte orange, le logo de la maison Hermès, Odile et Clémence poussent un soupir de satisfaction.

« Mais tu es fou. Tu n'aurais pas dû. » Adèle avait dit ça aussi l'année précédente.

Elle tire le ruban et ouvre la boîte. Elle ne comprend pas tout de suite ce que c'est. Une roue en or, ornée de pierres roses et surmontée de trois épis de blés en relief. Elle regarde le bijou sans le toucher, sans relever la tête et risquer de croiser le regard de Richard.

« C'est une broche », explique-t-il.

Une broche.

Elle a très chaud. Elle transpire.

« C'est de toute beauté, murmure Odile.

— Elle te plaît, ma chérie ? C'est un modèle ancien, j'étais sûr que ça t'irait. J'ai pensé à toi dès que je l'ai vue. Je la trouve très élégante, non ?

— Oui, oui. Elle me plaît beaucoup.

— Alors essaie-la ! Sors-la de la boîte au moins. Tu veux que je t'aide ?

— Elle est émue », ajoute Odile, les doigts collés sur le menton.

Une broche.

Richard sort le bijou de sa boîte et appuie sur l'épingle qui se soulève.

« Lève-toi, ce sera plus simple. »

Adèle se lève et, délicatement, Richard pique la broche dans sa robe, juste au-dessus du sein gauche.

« Évidemment, ça ne se met pas sur ce genre de robe mais c'est joli, non ? »

Non, évidemment, sur ce genre de robe ça ne va pas. Il faudrait qu'elle emprunte un tailleur à Odile et un foulard aussi. Il faudrait qu'elle se laisse pousser les cheveux, qu'elle les coiffe en chignon, qu'elle porte des escarpins à talons carrés.

« Très joli, mon chéri. Mon fils a beaucoup de goût », se réjouit Odile.

Adèle n'accompagne pas les Robinson à la messe de minuit. Elle est brûlante de fièvre et s'endort dans sa robe grenat, le corps replié sous les couvertures. « Je t'avais bien dit que tu tombais malade », se désole Richard. Il a beau lui frotter le dos, ajouter des couvertures, elle est transie de froid. Ses épaules tremblent, elle claque des dents. Richard se couche contre elle, la serre dans ses bras. Il lui caresse les cheveux. Il lui fait avaler ses médicaments comme il le fait avec Lucien, en minaudant un peu.

Il lui a souvent raconté que quand ils agonisent, les cancéreux se mettent à demander pardon. Juste avant leur dernier râle, ils s'excusent auprès des vivants de fautes qu'ils n'ont pas le temps d'expliquer. « Pardonnez-moi, pardonnez-moi. » Dans son délire, Adèle a peur de parler. Elle se méfie de sa faiblesse. Elle craint de se confier à celui qui la soigne et use du peu d'énergie qu'il lui reste pour enfoncer son visage dans l'oreiller trempé. Se taire. Surtout, se taire.

Simone ouvre la porte, sa cigarette collée au coin des lèvres. Elle porte une robe portefeuille qu'elle a mal lacée et qui laisse entrevoir sa poitrine bronzée et sèche. Elle a des jambes fines et un ventre gras. Ses dents sont maculées de rouge à lèvres et Adèle ne peut pas s'empêcher de frotter sa langue contre les siennes en la voyant. Elle scrute les paquets de mascara bon marché qui collent aux cils de sa mère, note les traits de crayon bleus sur les paupières ridées.

« Richard, mon chéri, comme je suis contente de vous voir. J'étais si déçue que vous ne fêtiez pas Noël avec nous. Quoique chez vos parents, je sais qu'on fait les choses très bien. Nous ne pouvons pas faire aussi chic, avec nos petits moyens.

— Bonjour, Simone. Nous sommes ravis d'être là, comme toujours, s'enthousiasme Richard en pénétrant dans l'appartement.

— Ce que vous êtes gentil. Lève toi, Kader, tu vois bien que Richard est arrivé », crie-t-elle à son mari, enfoncé dans un fauteuil en cuir.

Adèle se tient sur le seuil. Elle porte Lucien endormi dans ses bras. Elle regarde la banquette en chintz bleu qui lui donne la chair de poule. Le salon lui paraît encore plus petit, encore plus laid qu'avant. Face au canapé, la bibliothèque noire est encombrée de bibelots et de photos, d'elle et de Richard et de sa mère jeune. Dans une grande soucoupe, une collection de boîtes d'allumettes prend la poussière. Des fleurs artificielles sont disposées dans un vase à motif chinois.

« Simone, la cigarette ! » la gronde Richard en agitant doucement l'index.

Simone éteint sa cigarette et se colle contre le mur pour laisser passer Adèle.

« Je ne t'embrasse pas. Tu as le petit dans les bras, on ne va pas le réveiller.

— Oui. Bonjour, maman. »

Adèle traverse le minuscule appartement et entre dans sa chambre d'enfant. Elle garde les yeux rivés au sol. Elle déshabille lentement Lucien, qui a ouvert les yeux et pour une fois ne se débat pas. Elle le met au lit. Elle lui raconte plus d'histoires que d'habitude. Il dort profondément quand elle ouvre le dernier volume. Elle continue à lire, tout doucement, l'histoire d'un lapin et d'une renarde. L'enfant remue et la pousse hors du lit.

Adèle traverse le couloir sombre qui sent le linge moisi. Elle rejoint Richard dans la cuisine. Il est assis derrière la table en formica jaune et sourit, d'un air complice, à sa femme.

« Ton fils met beaucoup de temps à s'endormir, lui dit Simone. Tu le gâtes trop, ce petit. Moi je n'ai jamais fait ce genre de simagrées avec toi.

— Il aime les histoires, c'est tout. »

Adèle vole la cigarette que sa mère tient entre ses doigts.

« Vous auriez pu arriver plus tôt. On va dîner à dix heures avec tout ça. Heureusement que Richard me tient compagnie. » Elle sourit et soulève d'un coup de langue le bridge de son incisive jaunie. « On a eu beaucoup de chance de vous trouver, mon petit Richard. Un vrai miracle. Adèle a toujours été si empotée, si prude. Jamais un mot, jamais un sourire. On pensait qu'elle finirait vieille fille. Je lui disais moi d'être plus attrayante, de donner envie quoi! Mais elle était tellement têtue, tellement secrète. Impossible de lui tirer la moindre confession. Et y en avait des types qui en pinçaient pour elle, ah ça, elle avait du succès, ma petite Adèle. Hein que t'avais du succès? Vous voyez, elle ne répond pas. Elle fait sa fière. Je lui disais: Adèle, il faut que tu te prennes en main, si tu veux te comporter comme une princesse, trouve-toi un prince parce qu'ici on n'a pas les moyens de t'entretenir à vie. Avec ton père qui est malade et moi, moi, j'ai trimé toute ma vie, j'ai le droit aussi de profiter de mes belles années. Ne fais pas l'idiote comme moi, je lui disais à Adèle. Te marie pas avec le premier venu pour pleurer ensuite des larmes de sang. J'étais belle, Richard, vous le savez? Je vous ai déjà montré cette photo? C'est une Renault jaune. La première du village. Et vous avez remarqué? Mes chaussures étaient assorties à mon sac. Toujours! J'étais la femme la plus élégante du village, vous pouvez demander, tout le monde vous le dira. Non, heureusement qu'elle a trouvé un homme comme vous. Vraiment, on en a de la chance. »

Le père regarde la télévision. Il ne s'est pas levé depuis leur arrivée. Il est absorbé par le spectacle de réveillon du Lido. Des poches gonflées d'eau alourdissent son regard mais ses yeux verts ont gardé de l'éclat et une certaine morgue. À son âge, il a encore une épaisse chevelure brune. Une fine couronne grise éclaire ses tempes. Son front, son front immense, est toujours aussi lisse.

Adèle vient s'asseoir à côté de lui. Elle pose à peine ses fesses sur la banquette et met ses mains sur ses cuisses.

« Tu es content de la télévision? C'est Richard qui l'a choisie, tu sais. C'est un modèle dernier cri, explique Adèle d'une voix infiniment douce.

— C'est très bien, ma fille. Tu me gâtes trop. Tu ne devrais pas dépenser ton argent pour ça.

— Tu veux boire quelque chose? Ils ont commencé l'apéritif sans nous dans la cuisine. »

Kader approche sa main d'Adèle et tapote lentement son genou. Ses ongles sont brillants et lisses, très blancs au bout de ses longs doigts bronzés.

« Laisse-les, ils n'ont pas besoin de nous »,

chuchote-t-il en se penchant vers elle. Il lui sourit d'un air complice et tire une bouteille de whisky de sous la table. Il sert deux verres. « Elle adore faire son cinéma dès que ton mari arrive. Tu connais ta mère. Elle passe sa vie à organiser des dîners pour impressionner les voisins. Si elle ne m'avait pas tellement emmerdé, si elle n'avait pas été sur mon dos, j'aurais vécu la vraie vie, moi. J'aurais fait comme toi. Je serais monté à Paris. Le journalisme, je suis sûr que ça m'aurait plu.

— On t'entend, Kader », ricane Simone.

Il tourne son visage vers l'écran de télévision et serre entre ses doigts le genou frêle de sa fille.

Simone n'a pas de vraie table de salle à manger. Adèle l'aide à disposer les plats sur deux petites tables basses, rondes, composées d'un plateau en bronze et de tréteaux en bois. Ils mangent dans le salon, Kader et Adèle assis sur la banquette, Richard et Simone sur de petits poufs en satin bleus. Richard a du mal à cacher l'inconfort de sa position. Son mètre quatre-vingt-dix le handicape et il mange, les genoux sous le menton.

« Je vais voir Lucien », s'excuse Adèle.

Elle entre dans sa chambre d'enfant. Lucien dort, la tête à moitié en dehors du lit. Elle pousse le corps de l'enfant contre le mur et se couche à côté de lui. Elle entend la musique du Lido et ferme les yeux pour faire taire sa mère.

Elle serre les poings. Elle ne perçoit plus que la musique entraînante du cabaret et ses paupières s'emplissent d'étoiles et de strass. Elle remue doucement les bras, s'accroche aux épaules nues des danseuses. Elle danse, elle aussi, langoureuse, belle et ridicule dans un accoutrement d'animal de cirque. Elle n'a plus peur. Elle n'est plus qu'un corps offert pour le bonheur des touristes et des retraités.

Les fêtes sont finies, elle va retrouver Paris, la solitude, Xavier. Elle va pouvoir, enfin, sauter des repas, se taire, confier Lucien à qui voudra. Dix, neuf, huit, sept, six, cinq, quatre, trois, deux, un : bonne année, Adèle !

Rien ne s'était passé comme prévu. D'abord, ils n'avaient pas trouvé de voiture. Adèle avait quinze ans, Louis dix-sept mais il avait juré qu'un de ses amis, un multi-redoublant qui traînait devant le lycée pendant les cours, pourrait les conduire à la plage dans la voiture de son père. Dimanche matin, l'ami n'a pas donné signe de vie. « Tant pis, on prendra le bus. » Adèle n'a rien dit. Elle n'a pas avoué que sa mère lui interdisait les transports publics, surtout pour sortir de la ville, surtout avec des garçons. Ils ont attendu le bus plus de vingt minutes. Adèle avait mis un jean trop serré, un tee-shirt noir et un soutien gorge qui appartenait à sa mère. Elle s'était rasé les jambes, la nuit, dans la petite salle de bains. Elle avait acheté un rasoir pour homme à l'épicerie et elle s'y était prise comme un manche. Elle avait les jambes toutes griffées. Elle espérait que ça ne se verrait pas.

Dans le bus, Louis s'est assis à côté d'elle. Il a mis le bras autour de ses épaules. Il a préféré parler avec elle plutôt qu'avec ses copains. Elle s'est dit qu'il la traitait comme sa femme, comme si elle était à lui, et elle aimait ça.

Le voyage a duré plus d'une demi-heure et arrivés au terminus, ils ont dû marcher encore pour atteindre la maison du copain de Louis, la fameuse maison de plage dont il lui avait donné les clés. Les clés, justement, ne rentraient pas dans la serrure. Elles n'ouvraient pas la porte. Louis a eu beau forcer, essayer au-dessus, en dessous, la porte de derrière et celle de devant, rien ne cédait. Ils avaient fait tout ce chemin, Adèle avait menti à ses parents, elle était là, la seule fille avec quatre garçons, des joints, de l'alcool et la clé n'ouvrait pas.

« On va passer par le garage », a proposé Frédéric, qui connaissait la maison et qui était sûr de pouvoir y pénétrer par là. « Il n'y a pas de voiture », a-t-il précisé.

Frédéric est entré le premier par la petite fenêtre qu'il suffisait d'enfoncer mais qui se trouvait à deux mètres du sol. Louis a fait la courte échelle à Adèle qui a fait la fière et a sauté sur ses deux pieds dans le garage humide. Venir jusqu'à la mer pour se retrouver enfermée dans un garage sans lumière, assise sur des serviettes moisies étalées sur le sol en béton. Mais il y avait l'alcool, les joints, et même la guitare. Dans ces petits estomacs, dans ces poitrines frêles, tout ce beau matériel devait suffire à remplacer la mer.

Adèle a bu pour se donner du courage. Le moment était venu. Elle n'y couperait pas. Il y avait trop peu d'occasions, trop peu de lieux isolés, trop peu de maisons de plage pour que Louis recule. Et puis elle en avait rajouté. Elle lui avait raconté qu'elle s'y connaissait dans ces choses-là, qu'elle n'avait pas peur. Qu'elle en avait vu d'autres, des garçons. Assise sur le sol glacé, un peu soûle, elle s'est demandé s'il s'en rendrait compte. Si ce genre de mensonge se voyait ou si on pouvait faire illusion.

L'atmosphère s'est brouillée. Il y a eu comme de la grisaille. Une envie d'enfance lui serrait la gorge. Un dernier sursaut d'innocence a failli la faire renoncer. L'après-midi passait plus vite que prévu et les garçons ont trouvé une excuse pour quitter le garage. Elle les entendait dehors gratter comme des rats. Louis l'a déshabillée, s'est couché sur le dos et l'a assise sur lui.

Elle n'avait pas imaginé cela. Cette maladresse, ces gestes laborieux, ces mouvements grotesques. Cette difficulté à faire entrer son sexe en elle. Il n'avait pas l'air particulièrement heureux, juste furieux, mécanique. Il avait l'air de vouloir aller quelque part mais elle ne savait pas où. Il a attrapé ses hanches et s'est mis à faire des mouvements de va-et-vient. Il la trouvait pataude, empotée. Elle a dit : « J'ai trop fumé, je crois. » Il l'a mise sur le côté et ça a été encore pire. Il l'a couchée en chien de fusil et dans ses mains impatientes, il a saisi son sexe pour la pénétrer. Elle ne savait pas s'il fallait bouger ou laisser faire, se taire ou pousser de petits cris.

Ils sont rentrés. Dans le bus, Louis s'est assis à côté d'elle. Il a mis son bras autour de ses épaules. « Alors, c'est ça être sa femme ? » s'est dit Adèle. Elle se sentait à la fois sale et fière, humiliée et victorieuse. Elle est entrée chez elle discrètement. Simone regardait la télévision et Adèle s'est précipitée dans la salle de bains.

« Un bain à cette heure-ci ? Mais tu te prends pour qui ? Une princesse orientale ? » a hurlé sa mère.

Adèle s'est couchée dans le bain brûlant, elle a enfoncé son doigt dans son vagin dans l'espoir d'en tirer quelque chose. Une preuve, un signe. Son vagin était vide. Elle regrettait qu'ils n'aient pas eu un lit. Qu'il n'y ait pas eu plus de lumière dans ce petit garage. Elle ne savait même pas si elle avait saigné.

Six euros quatre-vingt-dix. Tous les jours, elle réunit six euros quatre-vingt-dix, en pièces, et achète un test de grossesse. C'est devenu une obsession. Chaque matin, au réveil, elle se rend dans la salle de bains, fouille au fond d'une trousse où elle a caché le paquet rose et blanc, et fait pipi sur la petite languette. Elle attend cinq minutes. Cinq minutes d'une angoisse véritable et pourtant totalement irrationnelle. Le test est négatif. Elle est soulagée pour quelques heures mais le soir même, après avoir vérifié qu'elle n'a toujours pas ses règles, elle retourne à la pharmacie et rachète un test. C'est peut-être ce qu'elle craint le plus. Tomber enceinte d'un autre homme. Ne pas pouvoir s'en expliquer auprès de Richard ou, pire encore, devoir faire l'amour à son mari et prétendre que l'enfant est de lui. Et puis ses règles arrivent, dans un bruit d'œufs cassés. Son ventre devient lourd et dur, elle en vient à aimer les spasmes qui la retiennent toute la soirée au lit, les genoux ramenés contre ses seins.

À une époque, elle faisait le test du sida toutes les semaines. À l'approche du résultat, elle était tétanisée par l'angoisse. Elle fumait des joints au réveil, se laissait mourir de faim puis finissait par se traîner, pas coiffée et un manteau sur son pyjama, dans les allées de la Salpêtrière, pour récupérer un carton jaune sur lequel était écrit : « négatif ».

Adèle a peur de mourir. Une peur intense, qui la prend à la gorge et l'empêche de raisonner. Elle se met alors à tâter son ventre, ses seins, sa nuque, y trouve des ganglions dont elle est certaine qu'ils annoncent un cancer fulgurant et atrocement douloureux. Elle se jure d'arrêter de fumer. Elle résiste pendant une heure, une après-midi, une journée. Elle jette toutes ses cigarettes, achète des paquets de chewing-gum. Elle court pendant des heures autour de la rotonde du parc Monceau. Puis elle se dit que ça ne vaut pas la peine de vivre en traînant une envie pareille, une envie si évidente, si essentielle. Qu'il faut être fou ou complètement idiot pour s'infliger ce manque, pour se regarder souffrir en espérant que ça dure, le plus longtemps possible. Elle ouvre tous les tiroirs, retourne les poches de ses manteaux. Elle secoue ses sacs à main et quand elle n'a pas la chance de trouver un paquet oublié, elle ramasse sur le petit balcon un mégot au filtre noir, en coupe l'extrémité et le tète goulûment.

Ses obsessions la dévorent. Elle n'y peut rien. Parce qu'elle requiert des mensonges, sa vie demande une épuisante organisation, qui lui occupe l'esprit tout entier. Qui la ronge. Organiser un faux voyage, inventer un prétexte, louer une chambre d'hôtel. Trouver le bon hôtel. Rappeler dix fois le concierge pour s'entendre confirmer que « oui, il y a bien une baignoire. Non, la chambre n'est pas bruyante, ne vous inquiétez pas ». Mentir mais ne pas trop se justifier. Les justifications nourrissent les soupçons.

Choisir une tenue pour un rendez-vous, y penser sans discontinuer, ouvrir son placard au milieu du repas, répondre à Richard qui demande : « Mais qu'est-ce que tu fais ? — Oh, excuse-moi, c'est une robe, je ne sais plus où elle est. »

Faire ses comptes, vingt fois. Retirer du liquide, ne laisser aucune trace. Se mettre à découvert pour de la lingerie fine, des trajets en taxi et des cocktails hors de prix dans les bars d'hôtel.

Être belle, être prête. Se tromper, inévitablement, de priorité.

Rater un rendez-vous chez le pédiatre pour un baiser qui dure trop longtemps. Avoir trop honte pour retourner chez ce pédiatre, pourtant compétent. Être trop paresseuse pour en choisir un nouveau. Se dire qu'avec un père médecin, Lucien n'a pas tant besoin de pédiatre que ça.

Elle a acheté le téléphone à clapet, qu'elle ne sort jamais de son sac et dont Richard ignore l'existence. Elle s'est procuré un second ordinateur, qu'elle cache sous le lit, de son côté, près de la fenêtre. Elle ne garde aucune trace, aucune facture, aucune preuve. Elle se méfie des hommes mariés, des sentimentaux, des hysté-riques, des vieux célibataires, des jeunes roman-tiques, des amants sur le Net, des amis d'amis.

À seize heures, Richard appelle. Richard s'excuse d'être de garde. Ça fait deux nuits de suite et il aurait dû la prévenir. Mais il a été obligé d'accepter, il devait un service à un collègue.

« Xavier ? Tu te souviens ?

— Ah, oui. Le type du dîner. Je ne peux pas te parler longtemps, j'attends le petit devant l'école. J'irai sans doute au cinéma alors. De toute façon, j'avais déjà demandé à Maria de garder Lucien.

— Oui, très bien. Va au cinéma, tu me raconteras. »

Heureusement, il ne lui demande jamais de raconter.

Ce soir Adèle voit Xavier. Le jour de leur retour à Paris, elle s'est enfermée dans la salle de bains pour lui envoyer un message. « Je suis là. » Ils ont décidé de se retrouver ce soir. Adèle s'est acheté une robe blanche, très stricte et une paire de bas à pois noir. Elle mettra des chaussures plates. Xavier est petit.

Devant l'école, Adèle regarde les mères rire entre elles. Elles tiennent leurs enfants par les épaules, promettent de s'arrêter à la boulangerie puis au manège. Lucien sort en traînant son manteau par terre.

« Habille-toi, Lucien. Il fait froid, viens, je vais fermer ton manteau. » Adèle s'accroupit devant son fils qui la pousse et la déséquilibre.

« Je ne veux pas le manteau !

— Lucien, je n'ai pas envie de me battre. Pas maintenant, pas dans la rue. Tu mets ton manteau. »

Elle glisse sa main sous le pull de son fils et elle lui pince violemment le dos. Elle sent la chair tendre se plier sous ses doigts. « Tu mets ton manteau, Lucien. Tu ne discutes pas. »

En remontant la rue vers chez elle, la main du petit garçon dans la sienne, elle se sent coupable. Elle a le ventre noué. Elle tire sur le bras de son fils, qui s'arrête devant chaque voiture, en commente la forme et la couleur. Elle répète : « Dépêche-toi », elle traîne le corps de l'enfant qui résiste et refuse d'avancer. Tout le monde la regarde.

Elle voudrait savoir prendre son temps. Être patiente, profiter de chaque instant avec son fils. Mais aujourd'hui elle ne veut qu'une chose, l'expédier au plus vite. Ça ne prendra pas longtemps, dans deux heures elle sera libre, il aura pris son bain, il aura mangé, ils se seront battus, elle aura crié. Maria arrivera, Lucien se mettra à pleurer.

Elle quitte l'appartement. Elle s'arrête devant un cinéma, prend une place et range le ticket dans la poche de son manteau. Elle hèle un taxi.

Adèle est assise dans le noir, dans un immeuble rue du Cardinal-Lemoine. Elle s'est installée sur une marche entre le premier et le deuxième étage. Elle n'a rencontré personne. Elle attend.

Il ne devrait pas tarder.

Elle a peur. Quelqu'un d'autre pourrait entrer, quelqu'un qu'elle ne connaît pas et qui lui voudrait du mal. Elle s'oblige à ne pas regarder sa montre. Elle ne sort pas son portable de sa poche. Rien ne passe jamais assez vite de toute façon. Elle se laisse tomber en arrière, place son sac sous sa tête et remonte sa jupe beige qui lui arrive aux genoux. C'est une jupe légère, trop légère pour la saison. Mais elle se soulève quand on tourne sur soi comme une vraie jupe de petite fille. Adèle se caresse la cuisse du bout des ongles. Elle remonte lentement, pousse sa culotte sur le côté et pose sa main. Fermement. Elle peut sentir ses lèvres se gonfler, le sang qui afflue sous la pulpe de ses doigts. Elle serre son sexe dans son poing, referme violemment la main. Elle se griffe de l'anus jusqu'au clitoris. Elle tourne son visage contre le mur, replie les jambes et mouille ses doigts. Une fois, un homme a craché sur son sexe. Elle a aimé ça.

L'index et le majeur. Il ne s'agit que de ça. Un mouvement vif, chaud, comme une danse. Une caresse régulière, toute naturelle et infiniment avilissante. Elle n'y arrive pas. Elle s'arrête puis reprend. Elle remue la tête comme un cheval cherche à chasser les mouches qui lui agacent les naseaux. Il faut être un animal pour réussir de telles choses. Peut-être que si elle crie, si elle se met à gémir, elle sentira mieux venir le spasme, la libération, la douleur, la colère. Elle murmure de petits « ah ». Ça n'est pas de la bouche, c'est du ventre qu'il faudrait gémir. Non, il faut être une bête pour s'abandonner ainsi. Il faut n'avoir aucune dignité, pense Adèle au moment où la porte de l'immeuble s'ouvre. Quelqu'un a appelé l'ascenseur. Elle ne bouge pas. Dommage qu'il n'ait pas pris l'escalier.

Xavier sort de l'ascenseur, tire un trousseau de clés de sa poche. Au moment où il ouvre la porte, Adèle, qui a ôté ses chaussures, pose ses mains sur sa taille. Il sursaute et pousse un cri.

« C'est toi ? Tu m'as fait peur. C'est un peu bizarre comme entrée en matière, non ? »

Elle hausse les épaules et pénètre dans la garçonnière.

Xavier parle beaucoup. Adèle espère qu'il ne va pas tarder à ouvrir la bouteille de vin qu'il a dans la main depuis maintenant un quart d'heure. Elle se lève et lui tend le tire-bouchon.

C'est le moment qu'elle préfère.

Celui qui précède le premier baiser, la nudité, les caresses intimes. Ce moment de flottement où tout est encore possible et où elle est maîtresse de la magie. Elle boit une gorgée goulûment. Une goutte de vin glisse sur sa lèvre, le long de son menton et éclate contre le col de sa robe blanche avant qu'elle ait pu la retenir. C'est un détail de l'histoire et c'est elle qui l'écrit. Xavier est fébrile, timide. Il n'est pas impatient, elle lui sait gré de s'asseoir loin d'elle, sur cette chaise inconfortable. Adèle est installée sur le canapé, les jambes repliées sous elle. Elle fixe Xavier de son regard de marais, visqueux et impénétrable.

Il approche sa bouche et une onde électrique parcourt le ventre d'Adèle. La décharge atteint son sexe, le fait exploser, charnu et juteux, comme un fruit qu'on épluche. La bouche de l'homme a le goût du vin et des cigarillos. Un goût de forêt et de campagnes russes. Elle a envie de lui et c'est presque un miracle, une envie pareille. Elle le veut, lui, et sa femme, et cette histoire, et ces mensonges, et les messages à venir, et les secrets et les larmes et même l'adieu, inévitable. Il fait glisser la robe. Ses mains de chirurgien, longues et osseuses, effleurent à peine sa peau. Il a des gestes sûrs, agiles, délicieux. Il paraît détaché et tout à coup furieux, incontrôlable. Il a un sens certain de la dramaturgie, se réjouit Adèle. Il est si proche à présent qu'elle en a le vertige. Son souffle l'empêche de réfléchir. Elle est molle, vide, à sa merci.

Il l'accompagne à la station de taxi, écrase ses lèvres contre son cou. Adèle s'engouffre dans la voiture, sa chair encore gorgée d'amour, les cheveux emmêlés. Saturée d'odeurs, de caresses et de salive, sa peau a pris une teinte nouvelle. Chaque pore la dénonce. Son regard est mouillé. Elle a un air de chat, nonchalant et malicieux. Elle contracte son sexe et un frisson la parcourt tout entière, comme si le plaisir n'était pas totalement consommé et que son corps recelait des souvenirs encore si vivaces qu'elle pourrait à tout instant les convoquer et en jouir.

Paris est orange et désert. Le vent glacial a balayé les ponts, libéré la ville des passants, rendu les pavés à eux-mêmes. Enveloppée dans une épaisse cape de brouillard, la cité offre à Adèle un terrain de rêverie idéale. Elle se sent presque intruse dans ce paysage, elle regarde à travers la vitre comme on pose l'œil sur le trou d'une serrure. La ville lui semble infinie, elle se sent anonyme. Elle n'en revient pas d'être reliée à qui que ce soit. Que quelqu'un l'attende. Qu'on puisse compter sur elle.

Elle rentre chez elle, paie Maria qui comme à chaque fois se sent obligée de lui dire : « Le petit vous a réclamée ce soir. Il a mis du temps à s'endormir. » Adèle se déshabille, plonge le nez dans ses vêtements sales, qu'elle roule en boule et cache dans un placard. Demain, elle y cherchera l'odeur de Xavier.

Elle est dans son lit quand le téléphone sonne.

« Madame Robinson ? Vous êtes l'épouse du docteur Richard Robinson ? Madame, excusez-moi de vous appeler à cette heure-ci, voilà, ne paniquez surtout pas, votre mari a eu un accident de scooter il y a une heure sur le boulevard Henri-IV. Il est conscient, ses jours ne sont pas en danger mais il a subi de sérieux traumatismes au niveau des jambes. Il a été amené ici, à la Salpêtrière, on est en train de procéder à des examens. Je ne peux pas vous en dire plus pour l'instant mais bien sûr, vous pouvez venir le voir dès que vous le souhaitez. Votre soutien lui sera très utile. »

Adèle a sommeil. Elle ne comprend pas bien. Elle ne prend pas la mesure de la situation. Elle pourrait dormir un peu, dire qu'elle n'a pas entendu son portable. Mais c'est trop tard. La nuit est gâchée. Elle entre dans la chambre de Lucien. « Mon amour, mon chéri, il faut aller dans la voiture. » Elle l'enroule dans une couverture et le prend dans ses bras. Il ne se réveille pas quand elle monte dans le taxi. Sur la route, elle appelle Lauren et tombe dix fois sur la voix polie de sa messagerie. Agacée, de plus en plus frénétique, elle rappelle encore et encore.

Devant l'immeuble de Lauren, elle demande au taxi de l'attendre.

« Je dépose le petit et je redescends. »

Le chauffeur, avec un fort accent chinois, exige qu'elle lui laisse une garantie.

« Allez vous faire foutre », répond Adèle en lui jetant un billet de vingt euros.

Elle entre dans l'immeuble, Lucien endormi sur son épaule et sonne à la porte de Lauren.

« Pourquoi tu ne répondais pas ? Tu fais la gueule ?

— Mais non », répond Lauren, la voix pâteuse, le visage froissé. Elle porte un kimono trop petit pour elle, qui lui arrive juste en dessous des fesses. « Je dormais, c'est tout. Qu'est-ce qui se passe ?

— Je pensais que tu étais fâchée. À cause de l'autre soir. J'ai cru que tu ne m'aimais plus, que tu en avais marre de moi, que tu prenais tes distances...

— Qu'est-ce que tu racontes ? Adèle, qu'est-ce qui se passe ?

— Richard a eu un accident de scooter.

— Oh merde.

— Ça n'a pas l'air si grave. Il doit se faire opérer de la jambe, mais ça va. Il faut que j'aille à l'hôpital, je ne peux pas emmener Lucien. Je n'ai personne d'autre à qui demander.

— Oui, oui, donne-le-moi. » Lauren tend les

bras, Adèle se penche vers elle et fait lentement glisser le corps du petit garçon sur le buste de Lauren, qui referme ses bras autour de la couverture. « Tiens-moi au courant. Et ne t'inquiète pas pour lui.

— Je t'ai dit, je ne pense pas que ce soit grave.

— Je parlais de ton fils », chuchote Lauren en refermant la porte.

Adèle appelle un taxi. On lui annonce un délai d'attente de dix minutes. Elle reste dans le hall éteint, derrière la grande porte vitrée. À l'abri. Elle a trop peur d'attendre dans la rue à cette heure-ci, elle risquerait de se faire attaquer, violer. Elle voit arriver le taxi qui dépasse l'immeuble et se gare deux cents mètres plus loin, au coin de la rue. « Quel con ! » Adèle ouvre la porte et court vers la voiture.

Elle s'assoit dans la salle d'attente, au sixième étage. « L'interne passera vous voir dès qu'il aura fini. » Adèle sourit timidement. Elle feuillette un magazine, enroule ses jambes l'une contre l'autre jusqu'à avoir des fourmis dans les mollets. Cela fait une heure qu'elle est là, à regarder rouler des brancards, à écouter de jeunes internes plaisanter avec les infirmiers. Elle a appelé Odile, qui a décidé de prendre le premier train demain pour venir voir son fils. « Ça va être dur pour vous, ma petite Adèle. Je ramènerai Lucien avec moi à la maison, vous serez plus tranquille pour veiller sur Richard. »

Adèle n'a pas de peine, elle n'est pas contrariée. Cet accident, pourtant, c'est un peu sa faute. Si Xavier n'avait pas échangé sa garde contre celle de Richard, si elle ne lui avait pas soufflé cette idée ridicule, s'ils n'avaient pas eu tellement envie de se voir, son mari serait à la maison, sain et sauf. À l'heure qu'il est, elle dormirait tranquille auprès de lui sans avoir à

affronter toutes les complications que cet accident ne manquera pas de générer.

Mais cet accident est peut-être une aubaine.
Un signe, une délivrance. Pendant quelques jours
au moins, elle aura la maison pour elle toute
seule. Lucien ira chez sa grand-mère. Personne
ne pourra surveiller ses allées et venues. Elle
va jusqu'à penser que les choses auraient pu se
passer encore mieux.

Richard aurait pu mourir.

Elle aurait été veuve.

À une veuve, on pardonne beaucoup de choses.
Le chagrin est une excuse extraordinaire. Elle
pourrait, tout le reste de sa vie, multiplier les
erreurs et les conquêtes, et l'on dirait d'elle : « La
mort de son mari l'a brisée. Elle n'arrive pas à
s'en remettre. » Non, ce scénario ne convient
pas. Dans cette salle d'attente où on lui a
demandé de remplir papiers et questionnaires,
elle est contrainte de reconnaître que Richard
lui est essentiel. Elle ne pourrait pas vivre sans
lui. Elle serait complètement démunie, obligée
d'affronter la vie, la vraie, l'affreuse, la concrète.
Il faudrait tout réapprendre, tout faire et, partant, perdre en paperasseries le temps qu'elle
consacre à l'amour.

Non, Richard ne doit jamais mourir. Pas
avant elle.

« Madame Robinson ? Je suis le docteur Kovac. »
Adèle se lève avec maladresse, elle a du mal

à tenir debout tant ses jambes sont engourdies. « C'est moi qui vous ai parlé tout à l'heure. Je viens de recevoir le scanner et les lésions sont importantes. Heureusement, sur la jambe droite, il n'y a que des plaies superficielles. Mais la jambe gauche a subi de multiples fractures, un éclatement du plateau tibial et une rupture des ligaments.

— D'accord. Et concrètement ?

— Concrètement, il devrait passer au bloc dans les heures qui viennent. Ensuite, il sera plâtré et puis il faudra envisager une longue rééducation.

— Il va rester ici longtemps ?

— Une semaine, peut-être dix jours. Ne vous inquiétez pas, votre mari va rentrer à la maison. On le prépare pour le bloc. Je vais charger un infirmier de vous appeler quand il remonte dans sa chambre.

— J'attends ici. »

Au bout d'une heure, elle change de place. Elle n'aime pas être assise devant ces ascenseurs qui s'ouvrent sur les malheurs du monde. Elle trouve une chaise vide au fond du couloir, près de la pièce où se reposent les infirmiers. Elle les regarde ranger les dossiers, préparer les traitements, aller d'une chambre à l'autre. Elle entend le frottement lisse de leurs pantoufles sur le lino. Elle écoute leurs conversations. Une aide-soignante fait tomber un verre d'un chariot qu'elle pousse trop brutalement. Chambre

6095, une patiente s'entête à refuser les traitements. Adèle ne la voit pas mais elle devine qu'elle est vieille et que l'infirmière qui s'adresse à elle a l'habitude de ses caprices. Puis les voix se taisent. Le couloir est plongé dans la nuit. La maladie cède la place au sommeil.

Il y a trois heures la main de Xavier se posait sur son sexe.

Adèle se lève. Son cou lui fait très mal. Elle cherche les toilettes, se perd dans les couloirs vides, revient sur ses pas, tourne en rond. Elle finit par pousser une porte en contreplaqué et entre dans des toilettes vétustes. Le verrou ne ferme pas. Il n'y a pas d'eau chaude et elle s'asperge le visage et les cheveux en grelottant. Elle se rince la bouche pour affronter le jour qui vient. Dans le couloir elle entend son nom. Oui, ils ont bien dit Robinson. Ils la cherchent. Non, c'est à son mari qu'on s'adresse. À Richard couché sur ce brancard. Il est là, devant la chambre 6090, Richard, pâle et transpirant, chétif dans sa blouse bleue. Il a les yeux ouverts mais Adèle peine à croire qu'il est réveillé. Il a le regard vide. Seules ses mains, qui s'agrippent au drap pour le relever, ses mains, qui défendent sa pudeur, seules ses mains prouvent qu'il est conscient.

L'infirmière pousse le brancard dans la chambre. Elle referme la porte sur Adèle, qui attend qu'on l'autorise à entrer. Elle ne sait pas quoi faire de ses bras. Elle cherche quelque chose à dire, une phrase réconfortante, un mot d'apaisement.

« Vous pouvez y aller. »

Adèle s'assoit à droite du lit. Richard tourne à peine le visage vers elle. Il ouvre la bouche et des filets de salive compacte restent collés à ses lèvres. Il sent mauvais. Une odeur de transpiration et de peur. Elle pose sa tête sur l'oreiller et ils s'endorment en même temps. Front contre front.

Elle quitte Richard à onze heures. « Je dois aller récupérer Lucien. La pauvre Lauren m'attend. » Dans l'ascenseur, elle croise le chirurgien qui vient d'opérer son mari. Il porte un jean et une veste en cuir. Il est jeune. À peine sorti de l'internat et peut-être même encore interne. Elle l'imagine ouvrir les corps, manipuler les os, scier, retourner, déboîter. Elle observe ses mains, ses longs doigts qui ont passé la nuit dans le sang et les glaires.

Elle baisse les yeux. Elle fait semblant de ne pas le reconnaître. Une fois dans la rue, elle ne peut pas s'empêcher de le suivre. Il marche vite, elle accélère le pas. Elle l'observe depuis le trottoir d'en face. Il sort une cigarette de son blouson, elle traverse et se poste devant lui.

« Vous avez du feu ?

— Ah, oui, attendez, sursaute-t-il en tâtant les poches de sa veste. Vous êtes l'épouse du docteur Robinson. Il ne faut pas vous inquiéter. C'est une méchante fracture mais il est jeune, il se remettra vite.

— Oui, oui, vous me l'avez dit tout à l'heure quand vous êtes passé dans la chambre. Je ne m'inquiète pas. » Il fait claquer la pierre du briquet. La flamme s'éteint. Il protège le feu de sa main droite mais il est à nouveau balayé par un courant d'air. Adèle lui arrache le briquet.

« Vous rentrez chez vous là ?

— Euh, oui.

— Vous êtes attendu ?

— Oui. Enfin, pourquoi ? Je peux vous aider ?

— Vous voulez boire un verre ? »

Le médecin la fixe et éclate d'un rire bruyant, gai, enfantin. Le visage d'Adèle se détend. Elle sourit, elle est belle. Ce type aime la vie. Il a des dents de sorcier blanc, un regard voluptueux.

« Pourquoi pas ? Si vous voulez. »

Adèle rend visite à Richard tous les jours. Avant d'entrer dans la chambre, elle passe la tête dans l'embrasure de la porte. Si son mari est réveillé, elle lui offre un sourire gêné et compatissant. Elle apporte des magazines, des chocolats, une baguette chaude ou des fruits de saison. Mais rien ne semble lui faire plaisir. Il laisse la baguette durcir. Une odeur de bananes flétries flotte dans la chambre.

Il n'a envie de rien. Même pas de discuter avec elle qui, assise sur le tabouret bleu inconfortable à droite du lit, s'échine à lui faire la conversation. Elle feuillette les magazines, commente les ragots, mais Richard répond à peine. Elle finit par se taire. Elle regarde par la fenêtre, l'hôpital grand comme une ville, le métro aérien et la gare d'Austerlitz.

Richard ne s'est pas rasé depuis une semaine et sa barbe noire et irrégulière durcit ses traits. Il a beaucoup maigri. La jambe dans le plâtre, il fixe le mur devant lui, accablé à la perspective des semaines qui l'attendent.

À chaque fois, elle se convainc qu'elle va passer l'après-midi avec lui, le distraire, attendre le passage du médecin pour poser des questions. Mais personne ne vient. Le temps passe d'autant plus lentement qu'ils ont le sentiment d'avoir été oubliés, comme si personne ne se préoccupait d'eux, comme si cette chambre n'existait nulle part et que l'après-midi s'étalait, interminable. Au bout d'une demi-heure, elle finit toujours par s'ennuyer. Elle le quitte et ne peut pas s'empêcher d'être soulagée.

Elle hait cet hôpital. Ces couloirs où des éclopés, corsetés, plâtrés, écorchés, s'exercent à marcher. Ces salles d'attente où des patients ignorants attendent que leur soit délivrée la parole sacrée. La nuit, dans son sommeil, elle entend les cris de la voisine de Richard, une octogénaire sénile qui s'est cassé le fémur et qui hurle : « Laissez-moi, je vous en supplie, allez-vous-en. »

Une après-midi, elle s'apprête à partir quand une infirmière ronde et bavarde entre dans la chambre. « Ah, c'est très bien, votre épouse est venue vous voir. Elle va pouvoir aider à faire la toilette. On ne sera pas trop de deux. » Richard et Adèle se regardent, horriblement gênés par la situation. Adèle soulève les manches de son pull et prend le gant que lui tend l'infirmière.

« Je vais le tenir et vous lui frottez le dos. Voilà, comme ça. » Adèle passe lentement le gant sur le dos de Richard, sous ses aisselles poilues, sur ses épaules. Elle descend jusqu'à ses fesses. Elle y met toute l'application et toute la douceur dont elle est capable. Richard baisse la tête et elle sait qu'il pleure. « Je vais finir seule si ça ne vous dérange pas », dit-elle à l'infirmière qui veut lui répondre puis se ravise en constatant que Richard hoquette doucement. Adèle s'assoit sur le lit. Elle tient le bras de Richard dans sa main, frotte sa peau, s'attarde sur ses longs doigts. Elle ne sait pas quoi dire. Elle n'a jamais eu à s'occuper de son mari et ce rôle la déconcerte et la chagrine. Brisé ou bien-portant, le corps de Richard ne lui est rien. Il ne lui procure aucune émotion.

Heureusement que Xavier l'attend.

« Je vois bien comme tu es bouleversée, chuchote tout à coup Richard. Je suis désolé d'être si fermé, d'être si dur avec toi. Je sais que pour toi aussi c'est très lourd tout ça, je m'en veux. Je me suis vu mourir, Adèle. J'avais tellement sommeil, je n'arrivais pas à garder les paupières ouvertes et puis j'ai perdu le contrôle de mon scooter. Ça s'est passé très lentement, j'ai tout vu, la voiture qui arrivait en face, le lampadaire à ma droite. J'ai glissé sur des mètres et des mètres, ça m'a paru interminable. J'ai pensé que c'était fini, que j'allais crever là, à cause d'une garde de trop. Ça m'a ouvert les yeux. Ce matin, j'ai écrit un mail au chef de service pour présenter ma démission. Je quitte l'hôpital, je ne pourrais plus. J'ai fait une offre pour la maison et je compte signer l'association pour la clinique de Lisieux. Il faut que tu les préviennes, au journal. N'attends pas le dernier moment, ce serait dommage de partir en mauvais termes. On va prendre un nouveau départ, ma chérie. Cet accident n'aura pas été que négatif, finalement. »

Il lève vers elle ses yeux rougis, sourit, et Adèle voit le vieil homme avec qui elle finira sa vie. Son visage grave, son teint jaune, ses lèvres sèches, voilà son avenir. « Je vais appeler l'infirmière, elle pourra terminer sans moi. L'important, c'est que tu sois bien. Ne pense pas à tout ça, repose-toi. On en reparlera demain. » Elle essore le gant avec rage, le pose sur la table de nuit et sort en lui faisant signe de la main.

Ça la réveille brutalement. Elle a à peine le temps de se rendre compte qu'elle est nue, qu'elle a froid et qu'elle s'est endormie, le nez dans un cendrier plein. Ça lui secoue la poitrine, ça lui remue les tripes. Elle essaie de fermer les yeux, se retourne, supplie le sommeil de l'engloutir, de la sortir de cette mauvaise passe. Les paupières closes, elle s'enfonce dans le lit qui tangue. Sa langue se contracte à la faire hurler de douleur. Des éclairs verdâtres lui traversent le crâne. Son pouls s'accélère. La nausée lui écorche le ventre. Son cou tremble, elle a le ventre qui se creuse. Comme un grand vide avant l'expulsion. Elle essaie de soulever les jambes pour mieux irriguer son cerveau. Elle n'en a pas la force. Elle a juste le temps de marcher à quatre pattes vers les toilettes. Elle enfonce la tête dans la cuvette et se met à vomir un liquide acide et gris. Des hauts-le-cœur violents l'essorent tout entière, elle vomit par la bouche, par le nez, elle se sent mourir. Elle croit que ça s'arrête et puis ça reprend. Elle accompagne le vomissement par un geste outré, se tortille comme un serpentin et retombe, épuisée.

Elle ne bouge plus. Allongée sur le carrelage, elle retrouve une respiration lente. Sa nuque est trempée, elle commence à avoir froid et ça lui fait du bien. Elle ramène ses genoux contre sa poitrine. Elle pleure doucement. Les larmes déforment son visage jaune, fendillent sa peau asséchée par le maquillage. Elle balance d'avant en arrière ce corps qui la lâche, qui la dégoûte. Elle passe sa langue sur ses dents et sent un morceau de nourriture contre son palais.

Elle ne sait pas combien de temps a passé. Elle ne sait pas si elle s'est endormie. Elle rampe sur le carrelage pour atteindre la douche. Elle se relève, tout doucement, par étapes. Elle a peur de s'évanouir, de se briser le crâne contre la baignoire, de vomir encore. Accroupie, à genoux, sur ses pieds. Elle tient à peine debout. Elle voudrait enfoncer ses ongles dans les murs, elle inspire et tente de marcher droit. Son nez est bouché, plein de croûtes. Il lui fait mal. Une fois sous la douche, elle remarque le sang qui coule le long de ses cuisses. Elle n'ose pas regarder son sexe mais elle sent bien qu'il est à vif, déchiré et tuméfié comme un visage qu'on a passé à tabac.

Elle ne se souvient pas de grand-chose. Son corps est son seul indice. Elle ne voulait pas passer la soirée toute seule, ça elle s'en souvient. Ça l'avait terriblement angoissée, de voir les heures passer et de ne toujours pas savoir ce qu'elle ferait de cette nuit, seule, dans son appartement. Mehdi a répondu au bout d'une heure au mail qu'elle a laissé sur son site. Il est arrivé à vingt et une heures et, comme prévu, il a amené un ami et cinq grammes de cocaïne. Adèle s'était faite belle. Ce n'est pas parce qu'on paie qu'il faut être négligée. Ils se sont installés dans le salon. Mehdi lui a tout de suite plu. Les cheveux coupés ras, un visage de voyou, des gencives brunes et des dents de fauve. Il portait une gourmette et se rongeait les ongles. Il était admirablement vulgaire. Le copain était blond et discret. Un garçon jeune et maigre, du nom d'Antoine, qui a mis une heure à enlever sa veste.

Ils avaient l'air un peu surpris par l'appartement, la décoration moderne et raffinée. Assis sur le canapé, ils ressemblaient à deux petits garçons un peu gênés de prendre le thé chez une grande personne. Adèle a ouvert une bouteille de champagne et Mehdi, qui l'a tout de suite tutoyée, lui a demandé :

« Et toi, tu fais quoi ?

— Je suis journaliste.

— Journaliste ? Putain, c'est de la balle ! »

Il a sorti le sachet de sa poche, l'a agité devant Adèle. « Ah, oui, attends. » Elle s'est retournée et a tiré de la bibliothèque la pochette d'un dessin animé de Lucien. Mehdi s'est marré et a étalé six rails sur le DVD. « À toi l'honneur. C'est de la bonne », ne cessait de répéter Mehdi et il avait raison.

Adèle ne sentait presque plus ses dents. Ses narines la picotaient, elle avait une envie de boire joyeuse et compulsive. Elle a attrapé la bouteille de champagne, a renversé sa tête en arrière et quand le liquide s'est mis à couler sur ses joues, dans son cou, à imprégner ses vêtements, elle s'est dit que c'était le signal. Antoine s'est accroupi derrière elle. Il a commencé à déboutonner la chemise d'Adèle. Ils savaient exactement ce qu'ils faisaient, comme un ballet parfaitement chorégraphié. Mehdi lui a léché les seins, il a posé sa main entre ses cuisses pendant qu'Antoine la tenait par les cheveux.

Adèle se laisse glisser contre le mur. Elle s'accroupit sous le jet d'eau brûlant. Elle a envie de faire pipi mais son bas-ventre est dur, comme si un os y avait poussé dans la nuit. Elle contracte les pieds, serre la mâchoire et quand, enfin, l'urine infectée se met à couler le long de sa cuisse, elle pousse un hurlement de douleur. Son sexe n'est plus qu'un morceau de verre brisé, un labyrinthe de stries et de fêlures. Une fine paroi de glace sous laquelle flottent des cadavres gelés. Son pubis, qu'elle tond chaque jour avec application, est violet.

C'est elle qui a demandé. Elle ne peut pas lui en vouloir. C'est elle qui a demandé à Mehdi, au bout d'une heure d'ébats, au bout d'une heure de lui en elle, d'Antoine en elle, de jeux, d'échanges, c'est elle qui n'y a plus tenu. Qui a dit: « ça ne suffit pas », qui a voulu sentir, qui a cru supporter. Cinq fois, peut-être dix, il a relevé la jambe et son genou pointu, osseux, lui a éclaté le sexe. Au début, il a fait attention. Il a lancé à Antoine un regard interloqué, un peu moqueur. Il a levé la jambe et haussé les épaules. Il ne comprenait pas. Et puis, il y a pris goût, en la voyant se tordre, en entendant ses cris qui n'étaient plus humains.

Après, après, plus rien n'était possible. Après, elle s'est peut-être évanouie. Ils ont peut-être encore parlé. En tout cas elle s'est réveillée là, nue dans un appartement vide. Elle sort de la douche lentement, se tient à chaque meuble, à chaque pan de mur. Elle attrape juste une serviette, qu'elle enroule autour d'elle et elle s'assoit, doucement, tout doucement sur le bord du lit. Elle se regarde dans le grand miroir en pied. Elle est blanche et vieille. Le moindre mouvement lui affole le cœur, même penser suffit à faire tourner les murs.

Il faudrait qu'elle mange quelque chose. Qu'elle boive une boisson fraîche et sucrée. Elle le sait, la première gorgée sera délicieuse, elle étanchera sa soif puis, une fois le liquide dans son estomac vide, elle ressentira une nausée intense, une migraine atroce. Il faudra résister. S'allonger à nouveau. Boire un peu, dormir beaucoup.

De toute façon, le frigo est vide. Depuis que Richard est hospitalisé, Adèle n'a pas fait les courses. L'appartement est sale. Dans la chambre, des vêtements sont jetés partout, des culottes traînent par terre. Une robe dort sur l'accoudoir du canapé du salon. Des lettres non décachetées sont empilées dans la cuisine. Elle va finir par les perdre ou par les jeter. Elle dira à Richard qu'il n'y avait pas de courrier. Adèle n'est pas allée au travail de la semaine. Elle a promis un papier qu'elle est incapable d'écrire. Elle ne répond pas à Cyril qui la harcèle, puis elle envoie un texto minable, en pleine nuit, pour expliquer qu'elle passe ses journées à l'hôpital auprès de son mari. Qu'elle reviendra lundi.

Elle dort tout habillée, elle mange dans son lit. Elle a tout le temps froid. Sa table de nuit est jonchée de pots de yaourt à moitié vides, de cuillères et de morceaux de pain dur. Elle voit Xavier, dès qu'il peut, dans l'appartement de la rue du Cardinal-Lemoine. Quand il appelle, elle sort de son lit, prend une longue douche brûlante, jette par terre ses vêtements et éventre son placard. Elle est à découvert mais elle prend quand même un taxi. Chaque jour, il faut un peu plus de maquillage pour camoufler les poches sous ses yeux, pour raviver son teint brouillé.

Son téléphone sonne. Elle tapote la couette, soulève lentement les coussins. Elle l'entend. Elle ne le trouve pas. Il était sous ses pieds. Elle regarde l'écran. Elle a raté six appels. Six appels de Richard, à quelques minutes les uns des autres. Six appels frénétiques, six appels furieux.

Le 15 janvier.

Richard sort aujourd'hui, il l'attend. On est le 15 janvier et elle avait oublié. Elle s'habille. Elle enfile un jean confortable et un pull d'homme en cachemire.

Elle s'assoit.

Elle se coiffe et se maquille.

S'assoit.

Elle range le salon, roule ses vêtements en boule puis s'adosse aux placards de la cuisine, le front glacé de sueur. Elle cherche son sac. Il est par terre, éventré, vide.

Il faut aller chercher Richard.

L'été, les parents d'Adèle louaient un petit appartement dans les environs du Touquet. Kader passait la journée au bar, avec une bande de copains de vacances. Simone jouait au bridge et se faisait bronzer sur la terrasse, un bandeau d'aluminium autour du cou.

Adèle aimait traîner seule dans l'appartement vide. Elle fumait des cigarettes à la menthe sur le balcon. Elle dansait au milieu du salon et fouillait dans les tiroirs. Un après-midi, elle avait trouvé une édition de *L'insoutenable légèreté de l'être* qui devait appartenir aux propriétaires. Ses parents ne lisaient pas ce genre de livre. Ses parents ne lisaient pas de livres du tout. Elle avait tourné les pages au hasard et était tombée sur une scène qui l'avait troublée aux larmes. Les mots résonnaient jusque dans son ventre, un courant électrique la parcourait à chaque phrase. Elle serrait sa mâchoire, contractait son sexe. Pour la première fois de sa vie, elle avait eu envie de se toucher. Elle avait attrapé les pans de sa culotte et l'avait remontée jusqu'à ce que le tissu lui brûle le sexe.

« Il la déshabillait et, pendant ce temps, elle était presque inerte. Quand il l'embrassa, ses lèvres ne répondirent pas. Puis elle s'aperçut soudain que son sexe était humide et elle en fut consternée. »

Elle remettait le livre à sa place, dans la petite commode du salon, et la nuit, elle y pensait. Elle essayait de se souvenir des mots exacts, de retrouver la musique puis elle n'y tenait plus. Elle se levait pour ouvrir le tiroir, regarder la couverture jaune et sentir sous sa robe légère s'éveiller des sensations inconnues. Elle osait à peine le prendre. Elle n'avait pas marqué la page, n'avait laissé aucune trace de son passage au milieu de cette histoire. Mais à chaque fois elle finissait par retrouver le chapitre qui l'émouvait tellement.

« Elle sentait son excitation qui était d'autant plus grande qu'elle était excitée contre son gré. Déjà, son âme consentait secrètement à tout ce qui était en train de se passer, mais elle savait aussi que pour prolonger cette grande excitation, son acquiescement devait rester tacite. Si elle avait dit oui à voix haute, si elle avait accepté de participer de plein gré à la scène d'amour, l'excitation serait retombée. Car ce qui excitait l'âme, c'était justement d'être trahie par le corps qui agissait contre sa volonté, et d'assister à cette trahison.

Il retira son slip ; maintenant elle était complètement nue. »

Elle répétait ces phrases comme un mantra. Elle les roulait autour de sa langue. Les tapissait tout au fond de son crâne. Elle comprit très vite que le désir n'avait pas d'importance. Elle n'avait pas envie des hommes qu'elle approchait. Ce n'était pas à la chair qu'elle aspirait, mais à la situation. Être prise. Observer le masque des hommes qui jouissent. Se remplir. Goûter une salive. Mimer l'orgasme épileptique, la jouissance lascive, le plaisir animal. Regarder partir un homme, ses ongles maculés de sang et de sperme.

L'érotisme habillait tout. Il masquait la platitude, la vanité des choses. Il donnait du relief à ses après-midi de lycéenne, aux goûters d'anniversaire et même aux réunions de famille, où il se trouve toujours un vieil oncle pour vous reluquer les seins. Cette quête abolissait toutes les règles, tous les codes. Elle rendait impossible les amitiés, les ambitions, les emplois du temps.

Adèle ne tire ni gloire ni honte de ses conquêtes. Elle ne tient pas de livres de comptes, ne retient pas les noms et encore moins les situations. Elle oublie très vite et c'est tant mieux. Comment pourrait-elle se souvenir d'autant de peaux, d'autant d'odeurs ? Comment pourrait-elle garder en mémoire le poids de chaque corps sur elle, la largeur des hanches, la taille du sexe ? Elle ne se souvient de rien de précis mais les hommes sont les uniques repères de son existence. À chaque saison, à chaque anniversaire, à chaque événement de sa vie, correspond un amant au visage flou. Dans son amnésie flotte la rassurante sensation d'avoir existé mille fois à travers le désir des autres. Et quand, des années plus tard, il lui arrive de recroiser un homme qui, un peu ému, avoue d'une voix grave : « J'ai mis du temps à t'oublier », elle en retire une satisfaction immense. Comme si tout cela n'était pas vain. Comme si du sens s'était, bien malgré elle, immiscé dans cette éternelle répétition.

Certains sont restés proches d'elle, l'ont touchée plus que d'autres. Adam, par exemple, dont elle aime dire qu'il est son ami. Elle a beau l'avoir connu sur un site de rencontres, elle se sent proche de lui. Elle passe parfois rue Bleue, garde ses vêtements et fume un joint avec lui, dans le lit qui lui tient lieu de bureau et de salon. Elle pose la tête sur son bras et elle aime cette camaraderie franche. Il ne lui a jamais fait de remarques, n'a jamais posé de questions sur sa vie. Il n'est ni intelligent ni profond, et ça lui plaît.

Elle s'est attachée à certains, elle a eu du mal

à les perdre. Maintenant qu'elle y repense, cet attachement lui semble flou, elle n'y comprend plus rien. Sur le coup, pourtant, rien d'autre ne semblait compter. C'était le cas de Vincent et avant lui d'Olivier, qu'elle a rencontré pendant un reportage en Afrique du Sud. Elle a attendu de leurs nouvelles comme elle attend aujourd'hui les messages de Xavier. Elle a voulu qu'ils se consument pour elle, qu'ils l'aiment au point de tout perdre, elle qui n'a jamais rien perdu.

Aujourd'hui, elle pourrait sortir de scène. Se reposer. S'en remettre au destin et au choix de Richard. Elle aurait sans doute intérêt à s'arrêter maintenant, avant que tout s'écroule, avant de ne plus avoir ni l'âge ni la force. Avant de devenir pitoyable, de perdre en magie et en dignité.

C'est vrai que cette maison est belle.

Surtout la petite terrasse, sur laquelle il faudrait planter un tilleul et installer un banc qu'on laisserait un peu pourrir et se couvrir de mousse. Loin de Paris, dans la petite maison de province, elle renoncerait à ce qui selon elle la définit vraiment, à son être vrai. Celui-là même qui, parce qu'il est ignoré de tous, est son plus grand défi. En abandonnant cette part d'elle-même, elle ne sera plus que ce qu'ils voient. Une surface sans fond et sans revers. Un corps sans ombre. Elle ne pourra plus se dire : « Qu'ils pensent ce qu'ils veulent. De toute façon, ils ne savent pas. »

Dans la jolie maison, à l'ombre du tilleul, elle ne pourra plus s'évader. Jour après jour, elle se cognera contre elle-même. En faisant le marché, la lessive, en aidant Lucien à faire ses devoirs, il faudra bien qu'elle trouve une raison de vivre. Un au-delà au prosaïsme, qui déjà enfant l'étranglait et lui faisait dire que la vie de famille était une effroyable punition. Elle en aurait vomi de ces journées interminables, à être juste ensemble, à se nourrir les uns les autres, à se regarder dormir, à se disputer une baignoire, à chercher des occupations. Les hommes l'ont tirée de l'enfance. Ils l'ont extirpée de cet âge boueux et elle a troqué la passivité enfantine contre la lascivité des geishas.

« Si tu conduisais, tu aurais pu aller le chercher toi-même ton mari. Tu serais quand même
plus indépendante, non ? » Lauren est agacée.
Dans la voiture, Adèle lui raconte sa nuit. Elle
ne lui dit pas tout. Hésitante, elle finit par avouer
qu'elle a besoin de lui emprunter de l'argent.
« Je savais que Richard gardait de l'argent à la
maison, mais je n'étais pas censée le dépenser,
tu comprends ? Je te le rendrai très vite, c'est
promis. » Lauren soupire et pianote nerveusement sur le volant. « C'est bon, c'est bon, je te
le donnerai. »

Richard les attend dans sa chambre, son sac
sur les genoux. Il est impatient. C'est Lauren
qui s'occupe de régler les démarches administra-
tives et Adèle se contente de la suivre, silencieuse et fatiguée, dans les couloirs de l'hôpital.
Elle tient à la main le ticket qu'il faut retirer à
l'entrée du bureau des admissions et des sorties.
Elle dit : « C'est à nous », mais elle ne parle pas à
la femme blonde assise derrière le bureau.

Lorsqu'ils entrent dans l'appartement, Adèle baisse la tête. Elle aurait pu mettre des fleurs sur le petit secrétaire. Remplir le lave-vaisselle. Acheter du vin ou de la bière. Une tablette de ce chocolat dont Richard raffole. Elle aurait pu pendre les manteaux qui traînent sur les chaises du salon, passer un coup d'éponge sur le lavabo de la salle de bains. Avoir une attention. Préparer une surprise. Être prête.

« Bon, je vais nous chercher quelque chose pour déjeuner, propose Lauren.

— Je n'ai pas eu le temps de faire les courses. Je me suis mal organisée, vraiment. J'irai pendant que tu feras la sieste. Je prendrai tout ce que tu voudras, tout ce dont tu as envie. Tu me diras, d'accord ? demande Adèle.

— Ça n'a aucune importance. De toute façon je n'ai pas faim. »

Adèle aide Richard à s'installer sur le canapé. Elle attrape le plâtre au niveau du mollet, soulève doucement la jambe puis la repose sur un coussin. Elle pose la paire de béquilles par terre.

Les jours passent et Richard ne bouge pas.

La vie reprend son cours. Lucien revient à la maison. Adèle retourne au bureau. Elle voudrait se plonger dans le travail mais elle se sent tenue à l'écart. Cyril l'accueille froidement. « Tu es au courant que Ben Ali est tombé pendant que tu jouais à l'infirmière ? Je t'ai laissé des messages, je ne sais pas si tu les as eus mais c'est Bertrand qu'on a envoyé finalement. »

Elle se sent d'autant plus à l'écart que règne dans la rédaction une atmosphère sentimentale. Les jours passent et il lui semble que ces collègues n'ont pas levé le nez de l'écran de télévision installé au milieu de l'open space. Jour après jour, les images de l'avenue Bourguiba noire de monde défilent. Une foule, jeune et bruyante, célèbre la victoire. Des femmes pleurent dans les bras des soldats.

Adèle tourne les yeux vers l'écran. Elle reconnaît tout. L'avenue où elle a marché tant de fois. L'entrée de l'hôtel Carlton, où elle fumait des cigarettes sur le balcon du dernier étage. Le tramway, les taxis, les cafés où elle ramassait des hommes qui sentaient le tabac et le café au lait. Elle n'avait rien à faire alors qu'écouter la mélancolie d'un peuple, prendre le pouls atone du pays de Ben Ali. Elle écrivait toujours les mêmes papiers, tristes à mourir. Résignés.

Ébahis, ses collègues portent la main à leur bouche. Ils retiennent leur souffle. C'est la place Tahrir à présent qui s'enflamme. « Dégage, dégage. » On brûle des poupées de chiffon. On déclame des poèmes et on parle de révolution. Le 11 février, à dix-sept heures trois, le vice-président Souleiman annonce la démission de Hosni Moubarak. Les journalistes hurlent, se sautent dans les bras. Laurent tourne le visage vers Adèle. Il pleure.

« C'est merveilleux, non ? Quand je pense que tu aurais pu y être. C'est vraiment bête cet accident. Ce n'est pas de chance. »

Adèle hausse les épaules. Elle se lève et enfile son manteau.

« Tu ne restes pas ce soir ? On va suivre les événements en direct. Un truc comme ça, ça n'arrive qu'une seule fois dans une carrière !

— Non, j'y vais. Je dois rentrer chez moi. »

Richard a besoin d'elle. Il l'a appelée trois fois cet après-midi. « N'oublie pas mes médicaments. » « Pense à acheter les sacs-poubelle. » « Tu rentres quand ? » Il l'attend, impatient. Il ne peut rien faire sans elle.

Le matin, Adèle le déshabille. Elle fait glisser son caleçon sur le plâtre et lui, lève les yeux au ciel, ruminant une prière ou une insulte, c'est selon. Elle recouvre le plâtre avec un sac-poubelle qui sent le pétrole, entoure la cuisse de scotch et installe Richard dans la douche. Il s'assoit sur une chaise en plastique et elle l'aide à allonger sa jambe sur le tabouret qu'elle est allée acheter exprès au Monoprix. Au bout de dix minutes, il hurle : « J'ai fini ! » et elle lui tend une serviette. Elle l'accompagne jusqu'au lit sur lequel il s'allonge, essoufflé. Elle coupe le scotch, retire le sac en plastique et l'aide à enfiler son caleçon, son pantalon, ses chaussettes. Avant de partir au travail, elle pose sur la table basse une bouteille d'eau, du pain, les comprimés contre la douleur et le téléphone.

La semaine, elle est tellement fatiguée qu'elle s'endort parfois à dix heures, tout habillée. Elle fait semblant de ne pas voir les cartons qui s'amoncellent dans le salon et dans l'entrée. Elle fait comme si le départ n'approchait pas. Comme si elle n'entendait pas son mari lui demander : « Tu as parlé à Cyril ? Je te rappelle que tu as un préavis à honorer. »

Le week-end, ils se retrouvent tous les trois, seuls, dans l'appartement. Adèle propose d'inviter des amis pour se changer les idées. Richard ne veut recevoir personne. « Je n'ai pas envie qu'on me voie dans cet état. » Richard est irascible, agressif. Lui, d'habitude si mesuré, se met dans des colères noires. Elle se dit que l'accident l'a peut-être plus remué qu'elle ne le croit.

Un dimanche, elle emmène Lucien au parc sur les hauteurs de Montmartre. Ils s'assoient au bord d'un grand bac de sable glacé. Ils ont les mains gelées. Lucien s'amuse à écraser les pâtés de sable qu'aligne consciencieusement un enfant blond. La mère de l'enfant, le portable sur l'oreille, s'approche de Lucien et, sans mettre fin à sa conversation, le pousse en arrière. « Non mais c'est nul ce que tu fais ! Tu laisses mon fils tranquille. Et tu ne touches pas à ses jouets. »

Lucien revient dans les bras de sa mère, l'œil rivé sur le petit blond qui pleure, le nez couvert de morve.

« Viens, Lucien. On rentre. »

Adèle se lève, prend dans ses bras son fils qui pleure et refuse de partir. Elle longe le bac et du bout de sa botte elle écrase le château de l'enfant blond et envoie voler ses seaux en plastique de l'autre côté du parc. Elle ne se retourne pas quand la mère, hystérique, hurle : « Hé, vous ! »

« On rentre, Lucien. Il fait trop froid. »

Quand elle ouvre la porte, l'appartement est plongé dans le silence. Richard s'est endormi sur le canapé du salon et Adèle déshabille son fils lentement, un doigt posé sur les lèvres. Elle le met au lit. Elle laisse un mot sur la table basse. « Je vais faire les courses. »

Boulevard de Clichy. Devant la vitrine d'un sex-shop, un vieillard dans un imperméable sale montre du doigt un costume de soubrette en vinyle rouge. La vendeuse, une Noire aux seins énormes, acquiesce et l'invite à entrer. Adèle dépasse les touristes qui gloussent devant les vitrines érotiques. Elle observe un vieux couple d'Allemands qui choisit un DVD.

Devant un peep-show, une grosse blonde fait les cent pas sous la pluie.

« Une petite danse. Tu seras pas déçu !

— Mais vous voyez bien que je promène mon fils, lui répond un trentenaire outré.

— C'est pas un problème, tu peux laisser la poussette dans l'entrée. Je le surveillerai pendant que tu seras à l'intérieur. »

Sur le terre-plein central, des hommes de main attendent qu'on vienne leur confier une mission en buvant de grandes canettes de bière ou de la mauvaise vodka. On entend parler l'arabe, le serbe, le wolof, le chinois. Des couples promènent leurs enfants au milieu des groupes d'ivrognes et affichent une mine réjouie quand ils voient rouler sur la piste cyclable des patrouilles de police.

Adèle pénètre dans le long couloir tapissé de velours rose, sur les murs duquel sont accrochés des photos de femmes enlacées, la langue pendue, les fesses offertes aux passants. Elle salue le vigile à l'entrée. Il la connaît. Elle lui a plusieurs fois acheté du cannabis et elle lui a donné le numéro de Richard quand sa sœur a eu un cancer de l'estomac. Depuis, il la laisse entrer sans payer. Il sait que de toute façon elle ne fait que regarder.

Le samedi soir, le lieu fait parfois salle comble pour des enterrements de vie de garçon ou pour célébrer la signature d'un contrat entre collègues avinés. Cet après-midi, il n'y a que trois clients, assis devant la petite scène minable. Un Noir, un peu âgé, très maigre. Un cinquantenaire, sans doute de province, qui regarde sa montre pour vérifier qu'il ne ratera pas son train. Au fond, un Maghrébin qui, quand elle entre, lui lance un regard dégoûté.

Adèle s'approche de l'Africain. Elle se penche au-dessus de lui. Il tourne les yeux vers elle, le blanc de ses yeux jaunes et vitreux, et il sourit timidement. Il a les dents gâtées. Elle reste debout. Les yeux rivés sur ses mains calleuses, sur sa braguette entrouverte, sur son sexe humide et veiné.

Elle entend l'autre maugréer. Elle le sent soupirer dans son dos.

« *Hchouma.*

— Qu'est-ce que tu as dit ? »

Le vieil Arabe ne lève pas la tête. Il continue de regarder en biais la danseuse qui lèche ses doigts, et les pose sur ses tétons en gémissant.

« *Hchouma*.

— Je t'entends, tu sais. Je comprends ce que tu dis. »

Il ne réagit pas.

L'Africain attrape Adèle par le bras. Il tente de la calmer.

« Lâche-moi, toi. »

Le vieux se lève. Il a un regard mauvais. Des bajoues mangées par une barbe de trois jours. Il l'examine, longuement. Observe ses chaussures hors de prix, sa veste d'homme, sa peau claire. Son alliance.

« *Tfou* », crache-t-il.

Il sort.

Dans la rue, Adèle est hébétée. Tremblante de rage. La nuit est déjà tombée et elle s'enfonce les écouteurs dans les oreilles. Elle entre dans le supermarché, erre de rayon en rayon, son panier vide à la main. L'idée même de manger la dégoûte. Elle prend n'importe quoi, fait la queue. Elle n'enlève pas ses écouteurs. Au moment de passer ses articles, elle augmente le son. Elle regarde la jeune caissière, ses mitaines râpées sur les mains, ses ongles couverts de vernis écaillé. « Si elle me parle, je vais pleurer. » Mais la caissière ne lui dit rien, habituée aux clients qui ne la saluent pas.

Les rouages se sont enrayés. Une inquiétude atroce a fait son nid en elle. Elle est d'une maigreur effroyable, la peau littéralement étirée sur les os. Les rues lui semblent hantées par une armée d'amants. Elle se perd tout le temps. Elle oublie de regarder la route en traversant et sursaute au son des klaxons. Un matin, elle a cru voir un ancien amant en sortant de chez elle. Son cœur s'est arrêté et elle a pris Lucien dans ses bras, pour cacher son visage. Elle s'est mise à marcher, vite et dans la mauvaise direction. Persuadée d'être suivie, elle n'a pas cessé de se retourner.

Chez elle, elle craint le bruit de la sonnette, épie les pas dans la cage d'escalier. Elle surveille le courrier. Elle a mis une semaine à résilier le contrat du téléphone blanc, qu'elle n'a jamais retrouvé. Elle a eu du mal à s'y résoudre, elle s'est surprise à être sentimentale. Elle les imagine, déjà, la faire chanter, étaler sa vie, entrer dans les moindres détails. Immobile, lent, Richard est une bête facile à traquer. Ils le trouveront, ils lui diront. Quand elle quitte l'appartement, elle a à chaque fois le ventre noué. Elle revient sur ses pas, craint d'avoir oublié quelque chose, d'avoir laissé traîner une preuve.

« Ça va, tu n'as besoin de rien ? »

Elle a mis son mari et son fils en pyjama. Elle les a fait manger. Elle se précipite dehors, le sentiment du devoir accompli et le besoin d'être prise. Elle ne sait pas pourquoi Xavier a tenu à aller dîner au restaurant. Elle aurait préféré aller rue du Cardinal-Lemoine, se déshabiller tout de suite, l'épuiser. Ne parler de rien.

« Thaïlandais ou russe ?

— Russe, on boira de la vodka », répond Adèle.

Xavier n'a pas réservé mais il connaît le patron de ce restaurant du 8e arrondissement, un repaire d'hommes d'affaires et de prostituées, de stars de cinéma et de journalistes en vogue. On les installe à une petite table contre la fenêtre et Xavier commande une bouteille de vodka. C'est la première fois qu'ils dînent ensemble. Adèle a toujours évité de manger devant lui. Avec lui.

Elle n'ouvre pas la carte et le laisse choisir.

« Je te fais confiance. » Elle touche à peine sa salade d'écrevisses et préfère se geler les doigts contre la bouteille de vodka entourée d'un bloc de glace. Sa gorge est brûlante et l'alcool fait flop flop dans son estomac vide.

« Laissez, madame, je vais vous servir. »

Le serveur, contrit, s'approche de leur table.

« Vous feriez bien de vous asseoir avec nous alors. »

Adèle rit et Xavier baisse les yeux. Elle le gêne.

Ils n'ont pas grand-chose à se dire. Adèle se mord l'intérieur des joues et cherche un sujet de conversation. Pour la première fois, Xavier parle de Sophie. Il prononce son nom et celui de ses enfants. Il dit qu'il a honte, qu'il ne sait pas où tout cela les mène. Qu'il n'arrive plus à mentir, que trouver des excuses l'épuise.

« Pourquoi est-ce que tu parles d'elle ?

— Tu préférerais que j'y pense et que je ne dise rien ? »

Xavier la dégoûte. Il l'ennuie. Leur histoire est déjà morte. Ça n'est plus qu'un bout de tissu élimé, sur lequel ils continuent de tirer comme des enfants. Il a trop servi.

Elle a mis un jean gris, très moulant, et des chaussures à talons hauts qu'elle porte pour la première fois. Sa chemise est trop décolletée. Elle est vulgaire. Quand ils sortent du restaurant, Adèle a du mal à marcher. Elle plie les genoux comme un girafeau nouveau-né. Ses semelles sont glissantes et puis il y a la vodka qui fait tanguer les talons. Elle a beau tenir fermement le bras de Xavier, elle rate la marche d'un trottoir et tombe par terre. Un passant se précipite pour l'aider à se relever. Xavier lui fait signe de reculer. Il s'en occupe.

Elle a mal, vaguement honte mais elle rit, comme une fontaine d'où jaillissent des jets d'eau glacés. Elle entraîne Xavier dans le hall d'un immeuble. Elle ne l'entend pas dire : « Non, arrête, tu es dingue. » Elle se colle contre lui, couvre son visage de baisers humides et désespérants. Il essaie de retirer la main qu'elle pose sur sa braguette. Il essaie de l'empêcher de baisser son pantalon mais elle est déjà à genoux et lui, les yeux hagards, partagé entre le plaisir et la peur des gens qui pourraient entrer. Elle se relève, s'adosse contre le mur et baisse en se tortillant son jean trop serré. Il entre en elle, dans son corps liquide, offert, généreux. Elle pose sur lui ses yeux mouillés et mimant la pudeur, singeant l'émotion, elle dit : « Je t'aime. Je t'aime, tu sais. » Elle lui attrape le visage, et sous ses doigts, elle sent qu'il cède. Qu'elle a raison de ses scrupules. Que comme un rat étourdi par le son de la flûte, il est prêt à la suivre jusqu'au bout du monde.

« Une autre vie est possible, susurre-t-elle. Emmène-moi. »

Il se rhabille. Les yeux veloutés, les joues fraîches.

« À vendredi. Mon amour. »

Vendredi elle lui dira que tout est fini. Tout, lui et le reste. Elle trouvera une excuse radicale, quelque chose contre quoi aucun d'eux ne peut lutter. Elle dira qu'elle est enceinte, qu'elle est malade, que Richard l'a confondue.

Elle lui dira qu'elle commence une nouvelle vie.

« Bonjour, Richard.

— Sophie? Bonjour. »

La femme de Xavier se tient sur le pas de la porte. Elle est très maquillée et s'est habillée avec soin. Elle serre nerveusement la bandoulière de son sac.

« J'aurais dû téléphoner mais il aurait fallu que je t'explique pourquoi, je ne voulais pas t'imposer ça par téléphone. Je peux repasser si tu veux, je...

— Non, non, viens, entre, assieds-toi. »

Sophie entre dans l'appartement. Elle aide Richard à se recoucher. Elle pose les béquilles contre le mur et s'installe en face de lui, dans le fauteuil bleu.

« C'est à propos de Xavier.

— Oui?

— Et d'Adèle.

— D'Adèle.

— Hier soir, nous avions des amis à dîner. Ils étaient en retard et j'ai voulu regarder mes

messages, pour voir s'il y avait un problème. »
Elle avale sa salive. « J'ai le même téléphone que
Xavier. Il l'avait laissé sur la table, dans l'entrée, et je l'ai pris. Je me suis trompée, sans faire
exprès je te jure. Jamais je n'aurais pu... Bref,
je l'ai lu. Un message de femme. Très expli-
cite. Sur le coup je n'ai rien dit. J'ai attendu les
invités, j'ai servi à dîner. On a passé une bonne
soirée d'ailleurs, je pense que personne ne s'est
douté de rien. Quand ils sont partis, j'ai affronté
Xavier. Il a nié pendant dix minutes. Il a prétendu que c'était une patiente qui le harcelait,
une folle dont il ne connaissait même pas le
nom. Et puis il a tout avoué. Ça l'a même soulagé, je crois, je n'arrivais plus à l'arrêter. Il dit
qu'il n'a pas pu s'en empêcher, que c'est pas-
sionnel. Il dit qu'il est amoureux d'elle.

— Amoureux d'Adèle? » Richard éclate d'un
rire sardonique.

« Tu ne me crois pas? Tu veux voir le message? Je l'ai, si tu veux. »

Richard se penche lentement vers le téléphone que lui tend Sophie et déchiffre le message comme un enfant, syllabe par syllabe. « J'ai
tellement hâte de m'échapper. J'étouffe sans toi.
Vivement mercredi. »

« Ils ont prévu de se voir mercredi. C'est lui qui
m'a parlé d'Adèle. C'est lui qui a dit que c'était
elle. Si tu savais comme il en parle, c'est... »

Sophie éclate en sanglots. Richard voudrait
qu'elle s'en aille. Sur-le-champ. Elle l'empêche
de penser. Elle l'empêche d'avoir mal.

« Il sait que tu es là?

— Oh non, je ne lui ai rien dit. Ça l'aurait rendu fou. Moi-même, je ne sais pas ce que je fais là. Jusqu'au dernier moment j'ai hésité, j'ai failli rebrousser chemin. C'est tellement ridicule, tellement humiliant.

— Ne lui dis rien. Surtout ne dis rien. S'il te plaît.

— Mais...

— Dis-lui qu'il doit régler cette histoire, prendre le temps de rompre. Elle ne doit pas savoir que je suis au courant. Surtout pas.

— D'accord.

— Promets-le-moi.

— Je te le promets, Richard. C'est promis, oui.

— Et maintenant, il faut que tu t'en ailles.

— Bien sûr. Oh, Richard, mais qu'est-ce qu'on va faire? Qu'est-ce qu'on va devenir?

— "On"? On ne va rien devenir du tout. On ne se reverra plus jamais, Sophie. »

Il ouvre la porte.

« Tu sais, c'est Xavier qu'il faut plaindre. Pardonne-lui, va. Enfin, fais ce que tu veux, ça ne me concerne pas. »

Pour un enfant, les téléphones à clapet sont très amusants. Ils s'allument quand on les ouvre. On peut les faire claquer et se pincer les doigts. C'est Lucien qui a trouvé le téléphone blanc. Adèle était sortie acheter un tabouret pour que Richard puisse prendre sa douche. Elle a appelé depuis Castorama. « Ici, ils n'en ont pas, je vais essayer au Monoprix. » Lucien jouait dans le salon, le téléphone à clapet à la main.

« C'est à qui ce téléphone, mon chéri ? Tu l'as trouvé où ?

— Où ? » répète l'enfant.

Richard lui prend le téléphone des mains.

« Allô ? Allô ? On appelle maman ? »

Lucien rit.

Richard regarde le téléphone. Un vieux machin. Quelqu'un a pu l'oublier ici. Un ami qui serait passé. Lauren ou même Maria, la baby-sitter. Il l'ouvre. Il y a une photo de Lucien comme fond d'écran. Une photo de Lucien nouveau-né, endormi sur le canapé, le corps recouvert par un gilet d'Adèle. Richard s'apprête à le refermer.

Il n'a jamais fouillé dans les affaires de sa femme. Adèle lui a raconté que, quand elle était adolescente, Simone avait l'habitude d'ouvrir son courrier et de lire les lettres de ses amoureux. Pendant qu'elle était en cours, sa mère fouillait dans les tiroirs de son bureau et une fois elle avait trouvé, sous le matelas, le ridicule journal intime qu'Adèle tenait. Elle avait fait sauter le cadenas avec la pointe d'un couteau et elle en avait lu le contenu, le soir même, au cours du dîner. Elle riait à se rompre la mâchoire. De grosses larmes, moqueuses et grasses, coulaient sur ses joues. « Est-ce que ce n'est pas ridicule ? Kader, dis, ce n'est pas ridicule ? » Kader n'avait rien dit. Mais il n'avait pas ri non plus.

Pour Richard, cet épisode expliquait en partie le caractère d'Adèle. Son soin à tout ranger, son obsession pour les serrures. Sa paranoïa. Il se disait que c'était à cause de cela qu'elle dormait, son sac collé de son côté du lit, son carnet noir coincé sous l'oreiller.

Il regarde le téléphone. Sur la photo de Lucien s'affiche la mention « message non lu ». Une enveloppe jaune clignote. Richard lève le bras pour échapper à Lucien qui veut saisir le joujou. « Je veux le téléphone, hurle Lucien. Je veux allô ! »

Richard lit le message. Celui-là et les suivants. Il revient au répertoire. Fait défiler la liste étourdissante de noms masculins.

Adèle ne va pas tarder. C'est tout ce à quoi il pense. Elle va rentrer et il ne veut pas qu'elle sache.

« Lucien, où as-tu trouvé le téléphone ?

— Où ?

— Où, chéri, il était où le téléphone ?

— Où ? » répète l'enfant.

Richard le saisit par les épaules et le secoue en criant :

« Il était où, Lulu ? Il était où, ce téléphone ? »

L'enfant dévisage son père, sa bouche se tord et de son doigt potelé, la tête basse, il désigne le canapé.

« Là. Sous.

— En dessous ? »

Lucien hoche la tête. Richard prend appui sur ses mains et se jette par terre. Le plâtre cogne contre le parquet. Il se couche, tourne la tête et voit, sous le canapé, des enveloppes, un gant en cuir rose et la boîte orange.

La broche.

Il saisit ses béquilles et fait glisser le bijou vers lui. Il transpire. Il a mal.

« Lucien, viens, on va jouer. Tu vois papa est par terre, on va jouer au camion. Tu veux ? Tu veux jouer avec moi ? »

Il dort avec elle. Il la regarde manger. Il écoute le bruit de l'eau quand elle prend sa douche. Il l'appelle au bureau. Il lui fait des remarques sur ses vêtements, sur son odeur. Tous les soirs, il lui demande, d'une voix volontairement agaçante : « Qui tu as vu ? Tu as fait quoi ? Tu rentres tard dis donc. » Il a refusé d'attendre le week-end pour faire les cartons et il sait que ça la rend folle. Qu'elle craint, jour après jour, qu'il ne tombe, malgré ses infinies précautions, sur un document, une preuve, une faute. Il a signé la promesse de vente pour la maison et Adèle a paraphé les documents. Il a engagé des déménageurs et payé les arrhes. Il s'est occupé de l'inscription de Lucien à l'école.

Il ne dit rien de sa découverte.

Il entre dans la chambre quand elle s'habille et remarque les griffures à la base de son cou. Le bleu, juste au-dessus du coude, la forme d'un pouce qui l'a saisi et s'est attardé. Il reste debout dans l'entrebâillement de la porte, pâle, la main crispée sur sa béquille. Il la regarde se cacher sous la grande serviette grise, enfiler sa culotte comme une petite fille.

La nuit, couché contre elle, il pense aux compromis. Aux arrangements. À celui de ses parents, dont personne n'a jamais parlé mais que nul n'ignore. À Henri qui avait loué un petit appartement en ville où il retrouvait tous les vendredis après-midi une femme de trente ans. Odile l'avait découvert. Ils s'étaient expliqués dans la cuisine. Une explication franche, presque émouvante, dont Richard avait entendu des bribes depuis sa chambre d'adolescent. Ils s'étaient arrangés, pour le bonheur de leurs enfants, pour sauver les apparences. Henri avait fini par abandonner sa garçonnière et Odile l'avait recueilli, triomphante et digne, dans le giron familial.

Richard ne dit rien. Il n'a personne à qui se confier. Personne dont il pourrait supporter le regard, sur son visage de cocu, de mari naïf. Il n'a envie d'entendre aucun conseil. Il ne veut surtout pas faire pitié.

Adèle a déchiré le monde. Elle a scié les pieds des meubles, elle a rayé les miroirs. Elle a gâché le goût des choses. Les souvenirs, les promesses, tout cela ne vaut rien. Leur vie est une monnaie de singe. Il a pour lui-même, encore plus que pour elle, un profond dégoût. Il voit tout d'un œil nouveau, d'un œil triste et sale. S'il ne disait rien peut-être que ça tiendrait quand même. Qu'importe, au fond, les fondations pour lesquelles il a tant sué. Qu'importe la solidité de la vie, la sainte franchise et l'abominable transparence. Peut-être que s'il se tait, cela tiendra quand même. Il suffirait sans doute de fermer les yeux. Et de dormir.

Mais mercredi arrive et il ne tient plus en place. À dix-sept heures, il reçoit un message d'Adèle. Elle lui dit que le bouclage se présente mal et qu'elle va travailler tard. Il écrit sans réfléchir : « Il faut que tu rentres. Je souffre beaucoup. J'ai besoin de toi. » Elle ne répond pas.

À dix-neuf heures, elle ouvre la porte de l'appartement. Elle évite de poser sur Richard ses yeux rouges et lui demande, agacée :

« Qu'est-ce qui se passe ? Tu as très mal ?

— Oui.

— Tu as pris tes médicaments, non ? Qu'est-ce que je peux faire de plus ?

— Rien. Rien du tout. J'avais juste envie que tu sois là. Je ne voulais pas rester tout seul. »

Il ouvre les bras et lui fait signe de s'asseoir à côté de lui sur le canapé. Elle s'approche, rigide et glaciale, et il la serre, prêt à l'étrangler. Il sent bien qu'elle tremble, qu'elle regarde dans le vide et il la tient contre lui, bouillonnant de haine.

Dans les bras l'un de l'autre, ils voudraient être ailleurs. Leurs dégoûts se mêlent, et cette tendresse feinte prend le visage de la détestation. Elle essaie de se dégager et il resserre son étreinte. Dans l'oreille, il lui dit :

« Tu ne mets jamais ta broche, Adèle.

— Ma broche ?

— La broche que je t'ai offerte. Tu ne l'as jamais mise.

— Depuis l'accident je n'ai pas vraiment eu l'occasion.

— Mets-la, Adèle. Ça me ferait très plaisir que tu la mettes.

— Je la mettrai la prochaine fois qu'on sort, c'est promis. Ou même demain pour aller au bureau, si tu veux. Laisse-moi me lever, Richard. Je vais préparer à dîner.

— Non, reste assise. Reste là », lui intime-t-il.

Il lui attrape le bras et le serre entre ses doigts.

« Tu me fais mal.

— Tu n'aimes pas ça ?

— Qu'est-ce qui te prend ?

— Xavier ne te fait pas ça ? Vous ne jouez pas à ces petits jeux ?

— Mais qu'est-ce que tu racontes ?

— Oh, allez, arrête. Tu me dégoûtes. Si je le pouvais, je te tuerais, Adèle. Je t'étranglerais, là.

— Richard.

— Tais-toi. Surtout, tais-toi. Ta voix m'écœure. Ton odeur m'écœure. Tu es un animal, un monstre. Je sais tout. J'ai tout lu. Ces messages immondes. J'ai trouvé les mails, j'ai tout reconstitué. Tout défile dans ma tête, je n'ai plus un souvenir qui ne soit associé à un de tes mensonges.

— Richard.

— Arrête ! Arrête de prononcer mon nom comme une idiote ! hurle-t-il. Pourquoi, Adèle ? Pourquoi ? Tu n'as aucun respect pour moi, pour notre vie, pour notre fils... » Richard se met à sangloter. Il pose ses mains tremblantes sur ses paupières. Adèle se lève. Le voir pleurer la pétrifie.

« Je ne sais pas si tu peux comprendre. Si tu peux me croire. Ça n'est pas contre toi, Richard, ça ne l'a jamais été. Je t'assure. Je ne peux pas m'en empêcher. C'est plus fort que moi.

— Plus fort que toi. Mais qu'est-ce qu'il ne faut pas entendre. Qui le sait ?

— Personne, je t'assure.

— Arrête de mentir ! Tu ne crois pas que tu as déjà fait assez de dégâts ! Ne mens pas.

— Lauren, murmure-t-elle. Seulement Lauren.

— Je ne te croirai plus jamais. Plus jamais. » Il essaie d'attraper ses béquilles, de se soulever mais il est si nerveux que sa jambe tremble et qu'il retombe sur le canapé, impuissant. « Tu sais ce qui me dégoûte le plus ? C'est de dépendre de toi. C'est de ne même pas pouvoir te dire de dégager, de ne même pas pouvoir me lever pour te frapper, pour te jeter tes affaires à la gueule, pour te pousser dehors comme la chienne que tu es. Tu pleures ? Tu peux pleurer, je n'en ai plus rien à faire. Moi qui n'ai jamais supporté tes larmes, j'ai envie de t'arracher les yeux. Mais qu'est-ce que tu as fait de moi? Qu'est-ce que cette histoire a fait de moi? Un idiot, un cocu, un pauvre type. Tu sais ce qui m'a fait le plus de peine? C'est ce carnet noir. Oui, le carnet noir dans ton bureau. J'ai lu ce que tu écrivais, sur ton ennui, sur cette vie de bourgeoise merdique. Non seulement tu te fais baiser par une armée mais en plus tu méprises tout ce qu'on a construit. Tout ce que j'ai construit, moi, en travaillant comme un chien pour que tu aies tout ce qu'il te faut. Pour que tu n'aies à t'inquiéter de rien. Tu crois que je ne rêve pas, moi, d'un au-delà à cette vie? Tu crois que je n'ai pas de rêves, pas d'envie de fuite? Que je ne suis pas, moi aussi, romantique, comme tu dis? Oui, pleure. Pleure jusqu'à en crever. On aura beau dire, tu pourras trouver toutes les explications du monde, tu es une salope, Adèle. Une vraie raclure. »

Adèle se laisse glisser contre le mur. Elle sanglote.

« Tu croyais quoi, hein? Que tu pourrais t'en sortir? Que je ne me rendrais jamais compte de rien? On finit toujours par payer pour ses mensonges, tu sais. Et toi, tu vas payer. Je vais engager le meilleur avocat de Paris, je vais tout te prendre. Il ne te restera rien. Et si tu crois que tu auras la garde de Lucien, tu te mets le doigt dans l'œil. Tu ne verras plus ton fils, Adèle. Fais-moi confiance pour le maintenir loin de toi. »

Quand ils font l'amour, les hommes regardent leur sexe. Ils prennent appui sur leurs bras, penchent la tête et observent leur verge pénétrer la femme. Ils s'assurent que cela fonctionne. Ils restent quelques secondes à apprécier ce mouvement, à se réjouir peut-être de cette mécanique, si simple et si efficace. Adèle sait bien qu'il y a aussi une forme d'excitation dans cette auto-contemplation, dans ce retour vers soi. Et que ce n'est pas seulement leur sexe à eux, mais aussi le sien qu'ils contemplent.

Adèle a beaucoup regardé en l'air. Elle a scruté des dizaines de plafonds, suivi les enroulements des moulures, accompagné le balancement des lustres. Allongée, couchée sur le côté, les pieds posés sur les épaules d'un homme, Adèle a levé les yeux. Elle a détaillé le craquellement d'une peinture écaillée, constaté un dégât des eaux, compté des étoiles en plastique, une fois, dans un salon qui était aussi une chambre d'enfant. Pendant des heures, elle a fixé le vide des plafonds. Parfois une ombre, ou la projection d'une enseigne lumineuse venaient délivrer son regard, lui offrir une récréation.

Depuis que Lucien est en vacances, Adèle déroule un matelas en mousse dans l'allée de tilleuls. Elle prépare un pique-nique puis ils font la sieste à l'ombre des arbres. Lucien se couche contre elle et il s'endort, en lui faisant promettre qu'ils referont demain la sieste dehors. Les yeux pleins de ciel, les pupilles froissées par le léger mouvement des feuilles, Adèle promet.

« Christine? Christine, vous m'entendez? » hurle Richard.

La secrétaire, une blonde au visage de chouette albinos, entre dans le bureau.

« Pardon, docteur, j'étais en train de chercher le dossier de Mme Vincelet.

— Est-ce que vous pourriez appeler ma femme? Je n'arrive pas à la joindre.

— J'appelle chez vous, docteur?

— Oui, s'il vous plaît, Christine. Et sur son portable aussi.

— Elle est peut-être sortie. Avec ce temps magnifique...

— Appelez-la, Christine, s'il vous plaît. »

Le bureau de Richard se situe au premier étage de la clinique, en plein centre-ville. En quelques mois, le docteur Robinson a séduit une patientèle fidèle, qui apprécie son dévouement et sa compétence. Il consulte trois jours par semaine et opère le jeudi et le vendredi matin.

Il est onze heures et la matinée a été particulièrement chargée. Richard ne l'a pas dit à la mère du petit Manceau mais les symptômes que présente son fils sont très inquiétants. Il a de l'intuition pour ces choses-là. Et puis M. Gramont n'a pas voulu décoller de son fauteuil. Richard a eu beau lui répéter qu'il n'était pas dermatologue, il a tenu à lui montrer ses grains de beauté, lui soutenant avec autorité que tous les médecins sont des voleurs et qu'on ne la lui fera pas.

« Elle ne répond pas, docteur. J'ai laissé un message, j'ai demandé qu'elle vous rappelle.

— Comment ça, elle ne répond pas ? Ce n'est pas censé être possible ! Merde ! »

La chouette fait rouler ses yeux ronds.

« Je ne savais pas, vous ne m'aviez pas dit...

— Excusez-moi, Christine. J'ai très mal dormi. M. Gramont m'a poussé à bout. Je ne sais pas ce que je raconte. Faites entrer le prochain patient, je vais me laver les mains. »

Il se penche vers le lavabo et plonge ses mains sous l'eau froide. Sa peau est sèche et couverte de petites croûtes à force d'être lavée. Il fait mousser le savon, frotte frénétiquement ses mains en les faisant tourner l'une sur l'autre.

Il s'assoit, les bras sur l'accoudoir de son fauteuil, les jambes tendues. Lentement, il plie ses genoux qui, plus de six mois après l'accident, lui paraissent encore rouillés. Il sait qu'il boite toujours un peu même si tout le monde dit que cela ne se voit pas. Sa démarche est lente, intranquille. La nuit, il rêve qu'il court. Des rêves de chien.

Il écoute à peine la patiente qui vient de s'asseoir en face de lui. Une femme de cinquante ans, anxieuse, coiffée en chignon pour masquer sa calvitie. Il l'invite à s'allonger sur la table d'examen et pose les mains sur son abdomen. « Là, c'est douloureux ? » Il ne remarque pas qu'elle est déçue quand il lui dit : « Tout va bien, rien de grave en tout cas. »

À quinze heures, il quitte la clinique. Il conduit très vite sur la route en lacets. À l'entrée de la maison, la voiture dérape sur les graviers. Il doit s'y prendre à deux fois. Il recule, prend son élan et accélère pour pénétrer dans le parc.

Adèle est couchée dans l'herbe. Lucien joue à côté d'elle.

« Je n'arrête pas de t'appeler. Pourquoi tu ne réponds pas ?

— On s'est endormis.

— Je croyais qu'il t'était arrivé quelque chose.

— Mais non. »

Il lui tend la main et l'aide à se lever.

« C'est ce soir qu'ils viennent dîner.

— Oh, tu ne veux pas annuler ? On reste tous les trois, nous serons tellement mieux.

— Non, on ne peut pas annuler au dernier moment. Ça ne se fait pas.

— Il faut que tu m'emmènes faire les courses alors. Je ne peux pas marcher jusque là-bas. C'est trop loin. »

Elle entre dans la maison. Il l'entend claquer une porte.

Richard s'approche de son fils. Il passe sa main dans ses cheveux bouclés, l'attrape par la taille. « Tu es resté avec maman aujourd'hui ? Qu'est-ce que vous avez fait, raconte-moi. » Lucien essaie d'échapper à son emprise, ne répond pas, mais Richard insiste. Il regarde tendrement le petit espion et lui repose la question. « Vous avez joué ? Vous avez fait des dessins ? Lucien, raconte-moi ce que vous avez fait. »

Adèle a installé la table dans le jardin, à l'ombre de l'arbre à mirabelles. Elle a changé deux fois de nappe et elle a mis un bouquet au centre, avec des fleurs du jardin. Les fenêtres de la cuisine sont ouvertes mais l'air est brûlant. Lucien est assis sur le sol, aux pieds de sa mère. Elle lui a donné une petite planche et un couteau en plastique et il coupe une courgette bouillie en tout petits morceaux.

« C'est comme ça que tu t'habilles ? »

Adèle porte une robe bleue, à imprimés fleuris, dont les fines bretelles se croisent dans le dos, dévoilant ses épaules et ses bras maigres.

« Tu as pensé à mes cigarettes ? »

Richard sort un paquet de sa poche. Il l'ouvre et tend une cigarette à Adèle.

« Je le garde là, dit-il en tapotant son pantalon. Ça t'incitera à moins fumer.

— Merci. »

Ils s'assoient sur le banc que Richard a fait installer contre le mur extérieur de la cuisine. Adèle fume sa cigarette en silence. Lucien replante consciencieusement la courgette bouillie dans la terre. Ils observent la maison des Verdon.

Au début du printemps, un couple est arrivé de leur côté de la colline. L'homme, d'abord, a fait plusieurs allers-retours pour visiter la maison. Depuis la fenêtre du petit bureau, Adèle pouvait le voir discuter avec Émile, le jardinier, avec M. Godet, l'agent immobilier, puis avec des entrepreneurs chargés d'éventuels travaux. C'est un homme d'une cinquantaine d'années, très bronzé, athlétique. Il portait un pull de couleur vive et s'était sans doute acheté ces bottes en plastique neuves pour l'occasion.

Un samedi, un camion s'est garé sur la petite route en pente que les Robinson étaient jusque-là les seuls à emprunter. Adèle et Richard, assis sur le banc, ont observé le couple s'installer dans la maison.

« Ce sont des Parisiens. Ils ne viennent que le week-end », a précisé Richard.

C'est lui qui est allé à leur rencontre, un dimanche après-midi. Il tenait Lucien par la main, il a traversé la rue et s'est présenté. Il leur a proposé de leur rendre service. De jeter un œil sur la maison de temps en temps. De les appeler en cas de problème. Et en partant, il les a invités à dîner. « Prévenez-moi dès que vous savez quel week-end vous serez là, ma femme et moi serons ravis de vous recevoir. »

« Et qu'est-ce qu'ils font dans la vie ?

— Il est opticien, je crois. »

Les Verdon traversent la rue. La femme tient une bouteille de champagne à la main. Richard se lève, passe son bras autour de la taille d'Adèle et les salue. Lucien s'est accroché à la jambe de sa mère. Il enfonce son nez dans sa cuisse.

« Bonjour, toi. » La femme se penche vers l'enfant. « Tu ne me dis pas bonjour ? Je m'appelle Isabelle. Et toi comment tu t'appelles ?

— Il est timide, s'excuse Adèle.

— Oh, ne vous en faites pas. J'en ai eu trois, je sais ce que c'est. Profitez ! Les miens refusent de quitter Paris. Passer le week-end avec leurs vieux parents ne les intéresse plus vraiment. »

Adèle rejoint la cuisine. Isabelle lui emboîte le pas mais Richard la retient. « Venez vous asseoir. Elle n'aime pas qu'on rentre dans sa cuisine. »

Adèle les entend parler de Paris, de la boutique de Nicolas Verdon dans le 17e et du travail d'Isabelle, dans une agence de publicité. Elle paraît plus âgée que son mari. Elle parle fort, rit beaucoup. On a beau être à la campagne, en plein été, elle porte une élégante blouse en soie noire. Elle a même mis des boucles d'oreilles. Quand Richard veut lui servir un verre de rosé, elle pose délicatement sa main sur son verre. « Ça ira pour moi. Je risque d'être pompette. »

Adèle revient s'asseoir avec eux, traînant Lucien dans son sillage.

« Richard nous racontait que vous aviez quitté Paris pour la campagne, s'enthousiasme Nicolas. Vous êtes bien ici. De la terre, des pierres, des arbres, que des choses vraies. Tout ce dont je rêve pour ma retraite.

— Oui. Cette maison est merveilleuse. »

Ils regardent tous en direction de l'allée de tilleuls que Richard a fait planter, deux par deux, face à face. Le soleil traverse les feuilles et répand sur le jardin une lumière phosphorescente, couleur menthe à l'eau.

Richard parle de son travail, de ce qu'il appelle « sa vision de la médecine ». Il raconte des histoires de patients, des histoires drôles et émouvantes qu'il ne raconte jamais à Adèle et qu'elle écoute, les yeux baissés. Elle voudrait que les invités s'en aillent et qu'ils restent là, tous les deux, dans la fraîcheur du soir. Qu'ils finissent, même en silence, même un peu fâchés, la bouteille de vin posée sur la table. Et qu'ils montent, l'un derrière l'autre, se coucher.

« Vous travaillez, Adèle ?

— Non. Mais j'étais journaliste à Paris.

— Et ça ne vous manque pas ?

— Travailler quarante heures par semaine pour gagner le même salaire que la nounou, je ne sais pas si c'est enviable, la coupe Richard.

— Tu me donnes une cigarette ? »

Richard sort le paquet de sa poche et le pose sur la table. Il a beaucoup bu.

Ils mangent sans appétit. Adèle est une mauvaise cuisinière. Les invités ont beau lui faire des compliments, elle sait que la viande est trop cuite, que les légumes n'ont aucun goût. Isabelle mâche lentement, le visage crispé, comme si elle avait peur de s'étouffer.

Adèle fume sans arrêt. Ses lèvres sont bleuies par le tabac. Elle soulève les sourcils quand Nicolas lui demande :

« Alors, Adèle, vous qui êtes dans le milieu, la situation en Égypte, vous en pensez quoi ? »

Elle ne lui dit pas qu'elle ne lit plus les journaux. Qu'elle n'allume pas la télévision. Qu'elle a même renoncé à voir des films. Elle a trop peur des histoires, d'amour, des scènes de sexe, des corps nus. Elle est trop nerveuse pour supporter l'agitation du monde.

« Je ne suis pas spécialiste de l'Égypte. Par contre...

— En revanche, corrige Richard.

— Oui, en revanche, j'ai beaucoup travaillé en Tunisie. »

La conversation devient commune, s'émousse, ralentit. Une fois épuisés tous les sujets que des inconnus peuvent aborder sans risque, ils ne trouvent plus grand-chose à se dire. On entend des bruits de fourchettes et de déglutition. Adèle se lève, la cigarette collée aux lèvres, un plat dans chaque main.

« Le grand air, ça fatigue. » Les Verdon répètent

la plaisanterie trois fois et finissent par partir, presque poussés par Richard qui leur fait de grands signes, debout dans l'allée de gravier. Il les regarde rentrer chez eux, se demandant quels secrets, quelles failles, peut bien cacher ce couple ennuyeux.

« Tu les as trouvés comment ? demande-t-il à Adèle.

— Je ne sais pas. Gentils.

— Et lui ? Tu le trouves comment, lui ? »

Adèle ne lève pas les yeux de l'évier.

« Je te l'ai dit. Je les ai trouvés gentils. »

Adèle monte dans la chambre. Par la fenêtre, elles voient les Verdon tirer les volets. Elle s'allonge et ne bouge plus. Elle l'attend.

Pas une seule fois, ils n'ont fait chambre à part. La nuit, Adèle écoute son souffle, ses ronflements, tous ces bruits rauques qui font la vie à deux. Elle ferme les yeux et se fait toute petite. Le visage au bord du lit, la main dans le vide, elle n'ose pas se retourner. Elle pourrait déplier un genou, tendre le bras, faire semblant de dormir et effleurer sa peau. Mais elle ne bouge pas. Si elle le touchait, même par inadvertance, il pourrait se mettre en colère, changer d'avis, la jeter dehors.

Quand elle est sûre qu'il dort, Adèle se tourne. Elle le regarde, dans le lit qui tremble, dans cette chambre où tout lui paraît fragile. Plus aucun geste, jamais, ne sera innocent. Elle en conçoit une terreur et une joie immenses.

Lorsqu'il était interne, Richard a fait un stage aux urgences de la Pitié-Salpêtrière. Le genre de stage où on vous répète qu'« ici on apprend beaucoup, sur la médecine et la nature humaine ». Richard traitait surtout des cas de grippe, des accidentés de la route, des victimes d'agression, des malaises vagaux. Il pensait qu'il verrait des cas sortant de l'ordinaire. Le stage s'était révélé d'un ennui profond.

Il se souvient très bien de l'homme qui a été admis cette nuit-là. Un clochard dont le pantalon était souillé de merde. Il avait les yeux révulsés, de l'écume aux lèvres et son corps était secoué de tremblements. « Il convulse ? avait demandé Richard à son chef de service.

— Non. Il est en manque. Delirium tremens. Délire tremblant. »

Quand ils arrêtent de boire, les alcooliques sévères sombrent dans une crise de manque d'une violence insoutenable. « Trois à cinq jours après l'arrêt de la boisson, le malade se met à avoir des hallucinations vives, souvent visuelles et associées à des animaux rampants, le plus souvent à des serpents ou à des rats. Il est dans un état de désorientation extrême, souffre de délire paranoïde, est en proie à l'agitation. Certains entendent des voix, d'autres font des crises d'épilepsie. Lorsqu'ils ne sont pas pris en charge, une mort subite peut s'ensuivre. Les crises étant souvent pire la nuit, le patient aura besoin de compagnie. »

Richard avait veillé le clochard, qui se tapait la tête contre les murs et agitait les bras dans les airs pour faire fuir quelque chose. Il l'avait empêché de se faire mal, lui avait administré des calmants. Impassible, il avait découpé le pantalon souillé et frotté le corps du clochard. Il lui avait nettoyé le visage et taillé la barbe dans laquelle du vomi avait séché. Il lui avait même donné un bain.

Le matin, quand le patient avait repris le peu d'esprit qu'il lui restait, Richard avait tenté de lui expliquer. « Il ne faut pas arrêter comme ça. C'est très dangereux, vous voyez bien. Je sais, vous n'avez peut-être pas eu le choix, mais il y a des méthodes, des protocoles pour les gens dans votre cas. » L'homme ne le regardait pas. Le visage violet et gonflé, l'œil mangé par un ictère, il était de temps en temps ébranlé par un frisson, comme si un rat venait de lui courir sur le dos.

Au bout de quinze ans de pratique, le docteur Robinson peut dire qu'il connaît le corps humain. Que rien ne le rebute, que rien ne lui fait peur. Il sait déceler les signes, recouper les indices. Trouver des solutions. Il sait même mesurer la douleur, lui qui demande aux patients, « sur une échelle de un à dix, vous diriez que vous souffrez comment? ».

Auprès d'Adèle, il a le sentiment d'avoir vécu avec une malade sans symptômes, d'avoir côtoyé un cancer dormant, qui ronge et ne dit pas son nom. Quand ils ont emménagé dans la maison, il a attendu qu'elle tombe. Qu'elle s'agite. Comme n'importe quelle toxicomane privée de sa drogue, il était convaincu qu'elle perdrait la raison et il s'y était préparé. Il s'était dit qu'il saurait quoi faire si elle devenait violente, si elle le rouait de coups, si elle se mettait à hurler la nuit. Si elle se scarifiait, qu'elle s'enfonçait un couteau sous les ongles. Il réagirait en scientifique, lui prescrirait des médicaments. Il la sauverait.

Le soir où il l'a affrontée, il était démuni. Il n'avait pris aucune décision sur leur avenir. Il voulait juste se défaire de son fardeau, la regarder s'écrouler sous ses yeux. Sous le choc, hébété, il était furieux de la passivité d'Adèle. Elle ne s'est pas justifiée. Elle n'a pas essayé une seule fois de nier. Elle avait l'air d'une enfant, soulagée qu'on ait découvert son secret et prête à subir sa punition.

Elle s'est servi un verre. Elle a fumé une cigarette et elle a dit: « Je ferai ce que tu voudras. » Puis elle a bafouillé: « Samedi, c'est l'anniversaire de Lucien. » Et il s'est souvenu. Odile et Henri devaient venir à Paris. Clémence, les cousins et tout un tas d'amis étaient prévenus depuis des semaines. Il n'avait pas le courage de tout annuler. Il sentait bien que c'était ridicule. Que face à une vie qui s'écroule, ce genre de mondanités aurait dû n'avoir aucune importance. Mais il s'y raccrochait comme à une planche de survie.

« On fête l'anniversaire et après on verra. » Il lui avait donné des instructions. Il ne voulait pas la voir faire la tête ou pleurer. Elle devait être souriante, joyeuse, parfaite. « Toi qui es si douée pour faire illusion. » L'idée que quelqu'un l'apprenne, que ça se sache, suffisait à lui provoquer une crise d'angoisse. Si Adèle devait quitter le foyer familial, il faudrait trouver une explication, monter un scénario banal. Dire qu'ils ne s'entendaient plus et c'est tout. Il lui avait fait jurer de ne se confier à personne. Et de ne plus jamais prononcer le nom de Lauren en sa présence.

Le samedi, ils ont gonflé les ballons en silence. Ils ont décoré l'appartement, et Richard a fait un effort surhumain pour ne pas hurler sur Lucien qui courait comme un fou d'une pièce à l'autre. Il n'a pas répondu à Odile qui s'étonnait qu'il boive autant en plein milieu de l'après-midi. « C'est un goûter d'enfant, non ? »

Lucien était heureux. À dix-neuf heures, il s'est

endormi tout habillé, au milieu de ses nouveaux jouets. Ils se sont retrouvés tous les deux. Adèle est venue vers lui, souriante, le regard illuminé. « Ça s'est bien passé, non ? » Couché sur le canapé, il l'a regardée ranger le salon et son calme lui a semblé monstrueux. Il n'arrivait plus à la supporter. Le moindre geste l'agaçait. Sa façon de placer une mèche derrière ses oreilles. Sa langue sur sa lèvre inférieure. Sa manie de jeter brutalement la vaisselle dans l'évier, de fumer sans arrêt. Il ne lui trouvait aucun charme, aucun intérêt. Il avait envie de la battre, de la voir disparaître.

Il s'est approché d'elle et il lui a dit, d'un ton ferme :

« Ramasse tes affaires. Va-t'en.

— Quoi ? Maintenant ? Et Lucien ? Je ne lui ai même pas dit au revoir.

— Sors d'ici », a t-il hurlé.

Il lui a donné des coups avec ses béquilles et l'a entraînée dans la chambre. Il jetait en vrac des affaires dans un sac, sans un mot, le regard résolu. Il est allé dans la salle de bains et a fait glisser, d'un seul geste, tous ses produits, tous ses parfums dans une pochette. Pour la première fois, elle l'a supplié. Elle s'est jetée à ses genoux. Elle a juré, le visage gonflé de larmes, la voix coupée de sanglots haletants, que sans eux elle mourrait. Qu'elle ne survivrait pas à la perte de son fils. Elle a dit qu'elle était prête à tout pour se faire pardonner. Qu'elle voulait guérir, qu'elle donnerait n'importe quoi pour une seconde chance auprès de lui. « Cette autre vie, ça n'était rien pour moi. Rien. » Elle lui a dit qu'elle l'aimait. Que jamais aucun homme n'avait compté pour elle. Qu'il était le seul avec lequel elle envisageait de vivre.

Il s'était cru assez fort pour la jeter à la rue, sans argent, sans travail, sans autre recours que de retourner chez sa mère dans l'appartement glauque de Boulogne-sur-Mer. Pendant une minute, il s'était même senti tout à fait capable de répondre à Lucien quand il poserait des questions. « Maman est malade. Elle a besoin de vivre loin de nous pour aller mieux. » Mais il n'y est pas parvenu. Il n'a pas réussi à ouvrir la porte, à la sortir de sa vie. À supporter l'idée qu'elle puisse exister ailleurs. Comme si sa colère n'était pas suffisante. Comme s'il avait envie de comprendre ce qui les avait menés, l'un et l'autre, à une telle folie.

Il a jeté le sac par terre. Il a fixé ses yeux suppliants, ses yeux de bête traquée, et il a secoué la jambe pour l'empêcher de s'accrocher à lui. Elle est tombée, comme un poids mort, et il est sorti. Il faisait un froid mordant mais il ne sentait rien. Agrippé à ses béquilles, il a descendu lentement la rue jusqu'à la station de taxi. Le chauffeur l'a aidé à allonger sa jambe plâtrée à l'arrière. Richard lui a tendu un billet et il lui a demandé de rouler. « Et éteignez la musique, s'il vous plaît. » Ils ont longé les quais et traversé les ponts d'une rive à l'autre, dans un interminable zigzag. Il roulait, la douleur à ses trousses.

Il avait le sentiment que s'il s'arrêtait un instant d'avancer, il serait anéanti par le chagrin, incapable de faire un geste, de respirer. Le chauffeur a fini par le déposer près de la gare Saint-Lazare. Richard est entré dans une brasserie. La salle était pleine de monde, de vieux couples qui sortaient du théâtre, de touristes bruyants, de femmes divorcées en quête d'une nouvelle vie.

Il aurait pu appeler quelqu'un, pleurer sur les épaules d'un ami. Mais comment aurait-il pu raconter? Qu'est-ce qu'il aurait pu dire? Adèle croit sans doute que c'est par honte qu'il n'en parle à personne. Qu'il préfère garder la face plutôt que de chercher le soutien d'une compassion amicale. Elle doit penser qu'il a peur de passer pour un cocu, pour un homme humilié. Mais il se fiche du regard qu'ils vont porter sur lui. Ce qu'il craint, c'est ce qu'ils diront d'elle, c'est la façon dont ils l'enfermeront, dont ils la réduiront. Dont ils caricatureront sa tristesse. Ce qu'il craint le plus, c'est qu'ils lui imposent une décision, qu'ils disent d'un air assuré : « Dans ces conditions, Richard, tu ne peux que la quitter. » Parler rendrait les choses irréversibles.

Il n'a appelé personne. Seul, il a fixé son verre pendant des heures. Pendant si longtemps qu'il n'a même pas remarqué que la salle s'était vidée, qu'il était deux heures du matin et que le vieux serveur en tablier blanc attendait qu'il règle et qu'il s'en aille.

Il est rentré chez lui. Adèle dormait dans le

lit de Lucien. Tout était normal. Affreusement normal. Il n'en revenait pas d'arriver à vivre.

Le lendemain, son diagnostic était posé. Adèle était malade, elle allait se soigner. « Nous allons trouver quelqu'un. Il va te prendre en main. » Deux jours plus tard, il l'a traînée dans un laboratoire médical et lui a fait faire des dizaines de prises de sang. Quand il a reçu les résultats, qui étaient tous bons, il a conclu : « Tu as eu beaucoup de chance. »

Il lui a posé des questions. Des milliers de questions. Il ne lui a pas laissé une minute de répit. Il l'a réveillée en pleine nuit pour confirmer un soupçon, pour lui demander des détails. Il était obsédé par les dates, les coïncidences, les recoupements. Elle répétait : « Je ne me souviens pas, je t'assure. Ça n'a jamais compté pour moi. » Mais il voulait tout savoir de ces hommes. Leur nom, leur âge, leur profession, l'endroit où elle les a rencontrés. Il voulait savoir combien de temps avaient duré ses aventures, où ils s'étaient retrouvés, ce qu'ils avaient vécu.

Elle a fini par lui céder et elle a raconté, dans le noir, en lui tournant le dos. Elle avait les idées claires, elle s'exprimait avec précision et sans affects. Parfois, elle entrait dans des détails sexuels mais c'est lui qui l'arrêtait. Elle disait : « pourtant, il ne s'agit que de cela ». Elle essayait de lui expliquer le désir insatiable, la pulsion impossible à contenir, la détresse de ne pouvoir y mettre fin. Mais ce qui l'obsédait, lui, c'est qu'elle ait pu abandonner Lucien toute une après-midi pour retrouver un amant. Qu'elle ait inventé une urgence professionnelle pour annuler des vacances en famille et baiser deux jours entiers dans un hôtel minable en banlieue. Ce qui le révoltait et le fascinait à la fois, c'est l'aisance avec laquelle elle avait menti et mené cette double vie. Il s'est fait avoir. Elle l'a manipulé comme un vulgaire pantin. Peut-être même qu'elle a ri, parfois, en rentrant à la maison, le ventre encore plein de sperme, la peau imbibée d'une autre sueur. Peut-être qu'elle s'est moquée de lui, qu'elle l'a imité devant ses amants. Elle a sans doute dit : « Mon mari ? Ne t'inquiète pas, il ne se rend compte de rien. »

Il remuait ses souvenirs jusqu'à en avoir la nausée. Il essayait de se rappeler son attitude quand elle rentrait tard, quand elle disparaissait. Qu'en était-il alors de son odeur ? Son haleine, quand elle lui parlait, était-elle mêlée à l'haleine d'autres hommes ? Il cherchait un signe, une évidence, peut-être, qu'il n'avait pas voulu voir. Mais rien, aucun événement marquant ne lui revenait à l'esprit. Sa femme était un imposteur absolument magnifique.

Quand il avait présenté Adèle à ses parents, Odile s'était montrée très réservée sur le choix de son fils. Elle ne lui avait rien dit à lui mais il avait su par Clémence qu'elle avait employé le mot « calculatrice ». « Ce n'est pas une fille pour lui. Elle prend des airs. » Odile s'était toujours méfiée de cette femme secrète. Elle s'inquiétait de sa froideur, de son absence d'instinct maternel.

Mais il en crevait, lui, l'étudiant de province, timide et sans conversation, de tenir cette femme dans ses bras. Ce n'était pas seulement sa beauté mais son attitude qui envoûtait Richard. Quand il la regardait, il était obligé de prendre de grandes inspirations. Sa présence le remplissait au point que c'en était douloureux. Il aimait la voir vivre, il connaissait par cœur le moindre de ses gestes. Elle parlait peu. Elle ne versait pas comme ses copines étudiantes en médecine dans les commérages et les conversations inutiles. Il l'emmenait dans de beaux restaurants. Il organisait des voyages dans des villes qu'elle rêvait de visiter. Très vite, il lui a présenté ses parents. Il lui a demandé de s'installer avec lui et il s'est occupé seul de trouver un appartement. Elle disait souvent: « C'est la première fois que ça m'arrive. » Et il en était fier. Il lui avait promis qu'elle n'aurait à s'occuper de rien et qu'il prendrait soin d'elle, comme personne d'autre avant lui. Elle était sa névrose, sa folie, son rêve d'idéal. Son autre vie.

« Allez. On recommence. »

Au début, elle fermait les yeux. Ça rendait les choses impossibles. Elle était si rigide, si froide qu'il en devenait dingue. Une envie de la frapper, de s'arrêter en plein milieu, de la laisser là, toute seule. Ils font ça le samedi après-midi et parfois le dimanche. Richard s'oblige à être patient. Il prend de grandes inspirations quand elle lui repose cent fois la même question de sa voix aigre de petite fille. Elle plie les bras, rentre les épaules, regarde fixement devant elle. Elle ne comprend rien.

« Mais détends-toi, enfin. Ne te couche pas comme ça, redresse-toi un peu. Il faut que ce soit un plaisir, pas une souffrance », s'agace Richard.

Il prend les mains d'Adèle et les pose sur le volant. Il règle le rétroviseur.

Un après-midi de juillet, ils prennent les routes de campagne. Lucien est assis à l'arrière. Adèle a mis une robe qui lui arrive au-dessus des genoux et elle a posé ses pieds nus sur les pédales. Il fait chaud et les chemins sont déserts.

« Tu vois, il n'y a personne là, tu n'as aucune raison de t'inquiéter. Tu peux accélérer un peu quand même. »

Adèle se retourne et regarde Lucien qui s'est endormi. Elle hésite puis appuie brutalement sur l'accélérateur. La voiture s'emballe. Adèle est affolée.

« Passe la quatrième enfin ! Tu vas bousiller la voiture. Tu n'entends pas ce bruit ? Mais qu'est-ce que tu fais ? »

Adèle freine brusquement et tourne vers Richard un visage penaud.

« C'est quand même incroyable, on dirait que tu es incapable d'utiliser tes pieds et tes mains en même temps. Tu es vraiment nulle, tu sais ? »

Elle soulève les épaules et éclate de rire. Richard la regarde, interdit. Il avait complètement oublié le bruit de son rire. Ce bruit d'eau vive, de torrent. Ce bruit de gorge qui lui fait renverser la tête et dévoiler son long cou. Il ne se souvenait plus de cette façon étrange qu'elle a de placer ses mains devant sa bouche et de fermer les yeux, dans une grimace qui donne à son rire un air un peu moqueur, presque méchant. Il a envie de la serrer contre lui, de se nourrir de cette joie soudaine, de cette gaieté qui leur a tant fait défaut.

« Je vais prendre le volant pour rentrer. Et tu sais quoi ? Peut-être qu'il vaudrait mieux que tu prennes de vrais cours. Avec un professionnel je veux dire. Ce sera plus efficace. »

Adèle progresse lentement mais il s'est promis de lui acheter une voiture si elle réussit son examen. Il ne pourra sans doute pas s'empêcher de vérifier le compteur et il limitera son budget pour l'essence, mais elle pourra au moins faire de petits trajets. Quand ils se sont installés, il la surveillait tout le temps. Il ne pouvait pas s'en empêcher. Il l'a même prise en filature, comme une délinquante. Il l'appelait plusieurs fois par jour sur le téléphone de la maison. Il quittait parfois la clinique sur un coup de tête et revenait, entre deux consultations, pour la trouver là, assise dans son fauteuil bleu, les yeux rivés sur le jardin.

Il lui est arrivé de se montrer cruel. Il a profité de son pouvoir sur elle pour la rabaisser. Un matin, elle lui a demandé de la déposer en ville en allant à la clinique. Elle avait envie de faire des courses, de se promener. Elle a même proposé de déjeuner avec lui, dans un restaurant dont il lui avait parlé. « Tu m'attends ? J'en ai pour deux minutes. » Elle est montée se préparer. Elle a tourné le verrou de la salle de bains et il est parti. Elle a dû entendre la voiture démarrer alors qu'elle était en train de s'habiller. Elle a sans doute regardé par la fenêtre la voiture qui s'éloignait. Le soir, il n'a même pas évoqué l'incident. Il lui a demandé comment s'était passée sa journée. Elle a répondu, souriante : « Très bien. »

En public, il adopte des attitudes dont il se repent ensuite. Il lui serre le bras, la pince dans le dos, l'observe au point que l'assistance en est gênée. Il scrute le moindre de ses mouvements. Il lit sur ses lèvres. Ils sortent rarement mais il est content d'avoir invité les Verdon. Il fera peut-être une fête à la rentrée. Quelque chose de simple, avec ses collègues et les parents des amis de Lucien.

Il est fatigué de ces soupçons permanents. Il ne veut plus penser qu'il ne doit sa présence qu'à son absence d'autonomie. Il se promet de laisser un peu plus d'argent à la maison. Il la pousse à prendre le train pour emmener Lucien voir ses grands-parents à Caen ou à Boulogne-sur-Mer. Il lui a même dit qu'il était temps de réfléchir à ce qu'elle voulait faire de sa vie.

Parfois, il cède à un enthousiasme irrationnel, à un optimisme dont tout médecin est appelé à se méfier. Il se convainc qu'il peut la guérir, qu'elle s'est accrochée à lui parce qu'elle a senti qu'il était son salut. La veille, elle s'est levée de bonne humeur. Il faisait un temps radieux. Richard l'a emmenée en ville avec Lucien pour qui elle devait faire des courses. Dans la voiture elle a parlé d'une robe qui lui avait plu dans la vitrine d'un magasin. Elle a balbutié un raisonnement obscur sur l'argent qu'il lui reste et ce qu'il lui faudra économiser pour s'offrir cette robe. Richard l'a coupée. « Fais ce que tu veux de cet argent. Arrête de me rendre des comptes. » Elle a eu l'air à la fois redevable et un peu désemparée, comme si elle s'était habituée à ce jeu malsain.

« La rendre heureuse. » Comme ça semblait facile quand Henri disait ça d'Odile, quand il répétait que c'était le but même de la vie. Fonder une famille et la rendre heureuse. Comme ça paraissait simple sur le parvis de la mairie, dans le hall de la maternité, le jour de leur pendaison de crémaillère, quand tout le monde avait l'air persuadé que Richard avait en main les clés d'une vie réussie.

Odile ne cesse de dire qu'ils devraient faire un second enfant. Qu'une aussi belle maison est faite pour une grande famille. À chaque fois qu'elle vient les voir, elle lance des regards complices vers le ventre d'Adèle qui fait non de la tête. Richard est si gêné qu'il fait semblant de ne pas comprendre de quoi il s'agit.

Il lui a imaginé une nouvelle vie, où elle serait tenue à l'abri d'elle-même et de ses pulsions. Une vie faite de contraintes et d'habitudes. Tous les matins, il la réveille. Il ne veut pas qu'elle traîne au lit, qu'elle rumine des idées noires. Trop de sommeil lui nuit. Il ne quitte pas la maison avant de l'avoir vue enfiler ses baskets et se mettre à courir sur le chemin de terre. Près de la haie, elle se retourne, lui fait signe de la main et il démarre la voiture.

Sans doute parce qu'elle y a grandi, Simone a toujours eu la campagne en horreur. Elle en parlait à sa fille comme d'un lieu de désolation et la nature est, aux yeux d'Adèle, une bête sauvage qu'on pense apprivoiser et qui vous saute à la gorge sans prévenir. Elle n'ose pas le dire à Richard mais elle a peur de courir sur les routes de campagne, de pénétrer la forêt déserte. À Paris, elle aimait courir au milieu des passants. La ville lui imprimait son rythme, sa cadence. Ici, elle court plus vite, comme si des assaillants étaient à ses trousses. Richard voudrait qu'elle profite du paysage, qu'elle s'éblouisse du calme des vallons et de l'harmonie des bocages. Mais jamais elle ne s'arrête. Elle court à s'en arracher les poumons et elle rentre épuisée, les tempes battantes, toujours étonnée de ne pas s'être perdue. Elle a à peine le temps d'enlever ses chaussures que déjà le téléphone sonne et elle reprend son souffle pour répondre à Richard.

« Il faut user le corps. » C'est ce qu'elle se dit pour se donner du courage. Il lui arrive d'y croire le matin, après une bonne nuit de sommeil. D'être optimiste, de faire des projets. Mais les heures passent et rongent ce qui lui reste de détermination. Son psychiatre lui a conseillé de hurler. Ça a fait rire Adèle. « Mais je suis très sérieux. Il faut gueuler, pousser un cri aussi fort que vous le pouvez. » Il a dit que ça la soulagerait. Mais même seule, même au milieu de nulle part, elle n'a pas réussi à extirper sa rage. À pousser un cri.

L'après-midi, c'est elle qui va chercher Lucien. Elle descend à pied au village et ne parle à personne. Elle salue les passants d'un geste du menton. La familiarité des villageois la glace. Elle évite d'attendre devant les grilles de l'école de peur que les autres mères ne lui adressent la parole. Elle a expliqué à son fils qu'il lui suffisait de marcher un peu pour la rejoindre. « Tu sais, là où il y a la statue de la vache. C'est là que je t'attendrai. »

Elle arrive toujours en avance. Elle s'installe sur le banc, face à la grande halle. Quand il est pris, elle reste debout, impassible, jusqu'à ce que l'occupant se sente trop mal à l'aise et finisse par lui laisser la place. Richard lui a raconté que le village avait été bombardé par erreur par les Américains en 1944. En moins de vingt minutes, le bourg a été effacé de la carte. Les architectes ont tenté de reconstruire les bâtiments à l'identique, de reproduire les colombages normands mais le charme est factice. Adèle lui a demandé si les avions américains avaient épargné l'église pour des raisons religieuses. « Non, a répondu Richard. C'est seulement qu'elle était plus solide. »

Quand le printemps est arrivé, son médecin a insisté pour qu'elle passe ses journées au grand air. Il lui a conseillé de se mettre au jardinage et de planter des fleurs qu'elle regarderait pousser. Émile l'a aidée à installer un potager au fond du jardin. Elle y passe beaucoup de temps avec Lucien. Son fils aime patauger dans la boue, arroser les plants de fèves, mâcher les feuilles maculées de terre. Juillet est à peine entamé mais elle ne peut s'empêcher de constater que les jours diminuent. Elle guette le ciel, qui s'assombrit toujours plus tôt et elle attend avec angoisse le retour de l'hiver. La succession ininterrompue de journées pluvieuses. Les tilleuls qu'il faudra tailler et qui exhiberont leurs moignons noirs, comme des cadavres géants. En quittant Paris, elle s'est délestée de tout. Elle n'a plus de travail, plus d'amis, plus d'argent. Plus rien que cette maison où l'hiver la tient captive et où l'été fait illusion. Parfois, elle a l'air d'un oiseau affolé, cognant son bec contre les baies vitrées, brisant ses ailes sur les poignées de porte. Elle a de plus en plus de mal à cacher ses impatiences, à dissimuler son irascibilité. Pourtant, elle fait des efforts. Elle se mord l'intérieur des joues, elle fait des exercices de respiration pour supporter l'angoisse. Richard lui a interdit de laisser Lucien passer l'après-midi devant la télévision et elle s'oblige à inventer pour lui des activités amusantes. Un soir, Richard l'a retrouvée les yeux gonflés, le visage rouge, assise sur la moquette du salon. Elle avait essayé toute l'après-midi de nettoyer une tache de peinture que Lucien avait faite sur son fauteuil bleu. «Il ne m'écoutait pas. Il ne sait pas jouer», répétait-elle furieuse, les mains crispées.

« La dernière fois que vous êtes venue, vous m'avez dit que vous vous pensiez guérie. Que vouliez-vous dire par là ?

— Je ne sais pas », dit-elle en haussant les épaules.

Le médecin laisse s'installer le silence. Il la fixe de ses yeux bienveillants. La première fois qu'il l'a reçue dans son cabinet, il lui a dit qu'il n'était pas armé pour son cas. Qu'on conseillait habituellement des thérapies comportementales, des traitements par le sport et les groupes de paroles. Elle avait répondu, de sa voix ferme et glaciale : « Il n'en est pas question. Ça me dégoûte. Il y a quand même une certaine lâcheté à étaler sa honte. »

Elle avait insisté pour venir le voir, lui. Elle prétendait qu'il lui inspirait confiance. Et il avait accepté à contrecœur, un peu ému par cette femme maigre et pâle, flottant dans sa chemise bleue.

« Disons que je reste tranquille.

— C'est cela guérir pour vous ? Rester tranquille ?

— Oui. Je suppose. Mais guérir, c'est terrible aussi. C'est perdre quelque chose. Vous comprenez ?

— Bien sûr.

— À la fin, j'avais tout le temps peur. J'avais l'impression d'avoir perdu le contrôle. J'étais fatiguée, il fallait que ça s'arrête. Mais je n'aurais jamais cru qu'il pourrait me pardonner. »

Les ongles d'Adèle grattent l'accoudoir en tissu du fauteuil. Dehors, des nuages noirs exhibent leurs mamelons pointus. L'orage va bientôt éclater. D'ici, elle peut voir la contre-allée et la voiture dans laquelle Richard l'attend.

« La nuit où il a tout découvert, j'ai très bien dormi. D'un sommeil profond et réparateur. Quand je me suis réveillée, la maison avait beau être dévastée, Richard avait beau me haïr, je ressentais une joie étrange, une excitation même.

— Vous étiez soulagée. »

Adèle se tait. Une pluie furieuse s'abat sur le pavé. On dirait que la nuit est tombée en plein milieu de l'après-midi.

« Mon père est mort.

— Oh, je suis désolé de l'apprendre, Adèle. Votre père était-il malade ?

— Non. Il est mort d'un accident cérébral, hier soir, dans son sommeil.

— Cela vous rend-il triste ?

— Je ne sais pas. En même temps, il n'a jamais vraiment aimé être là. »

Elle pose son visage sur sa main droite et s'enfonce dans le fauteuil.

« Je vais aller à son enterrement. Je vais y aller seule. Richard ne peut pas quitter la clinique et puis il trouve que Lucien est trop jeune pour affronter la mort. En fait, il n'a même pas proposé de m'accompagner. Je vais y aller. Seule.

— Vous en voulez à Richard de vous abandonner en ces circonstances ?

— Oh non, répond-elle doucement. Je m'en réjouis. »

Richard n'a jamais accordé d'importance au sexe. Même jeune, il n'y a pris qu'un plaisir relatif. Il s'ennuyait toujours un peu dans cet exercice. Il trouvait ça long. Il se sentait incapable de jouer la comédie de la passion et bêtement, il avait cru qu'Adèle était soulagée par la tiédeur de son désir. Comme n'importe quelle femme intelligente et raffinée le serait. Il pensait que face à ce qu'il lui offrait, le sexe n'était rien. En public, il faisait parfois un peu semblant, pour sauver les apparences et pour se rassurer aussi. Il se laissait aller à une remarque vulgaire sur les fesses d'une fille. Il insinuait une aventure devant ses amis. Il n'en était pas fier. Il n'y pensait jamais.

Il avait toujours rêvé d'être père, d'avoir une famille qui compterait sur lui et à qui il pourrait offrir ce qu'il avait lui-même reçu. Il avait désiré Lucien plus que tout et il avait vécu dans l'angoisse la perspective de sa conception. Mais Adèle est tombée enceinte très vite, du premier coup même. Il avait fait semblant d'en tirer de l'orgueil, d'y voir une preuve de sa virilité. Il était en réalité soulagé de ne pas avoir à épuiser le corps de celle qu'il aimait.

Pas une fois Richard n'a pensé à se venger. Ni même à rétablir l'équilibre dans un combat qu'il savait perdu d'avance. L'occasion s'est présentée, une fois, de raccompagner une fille et il l'a saisie sans vraiment y penser. Sans savoir ce qu'il y cherchait.

Trois mois après son installation à la clinique, on lui avait présenté Matilda qui faisait un stage dans la pharmacie de son père. C'est une jeune fille ronde, aux yeux olive, qui cache ses boutons d'acné sous de longs cheveux roux. Il ne lui manque pas grand-chose pour être jolie.

Un soir, Richard buvait une bière en face de la clinique quand il l'a vue, attablée avec deux autres filles de son âge. Elle lui a fait signe. Elle lui a souri. Il n'a pas compris si elle l'invitait à les rejoindre ou si elle se sentait seulement obligée de lui dire bonjour, parce qu'il est un ami de son père. Richard l'a saluée en retour.

Il n'y prêtait plus attention, les pensées ralenties par l'alcool et la chaleur. Il l'avait complètement oubliée quand elle s'est approchée de la table et lui a dit : « Richard, c'est ça ? »

Des gouttes de sueur ont coulé le long de son échine.

« Oui, Richard Robinson. » Il s'est levé maladroitement et lui a serré la main.

Elle s'est assise, sans demander la permission, moins timide finalement que ce qu'il avait pu imaginer quand elle rougissait derrière le comptoir de la pharmacie. Elle s'est mise à lui parler de la fac, de Rouen où elle vivait, des études de médecine qu'elle aurait bien aimé faire mais pour lesquelles elle ne se sentait pas assez de courage. Elle parlait très vite, d'une voix aiguë et chantante. Richard acquiesçait mollement, le visage trempé de sueur. Il faisait un effort pour garder ses yeux grands ouverts fixés sur elle, pour sourire au bon moment, pour relancer, même, parfois la conversation.

Ils ont marché dans la rue, sans but précis. Il lui a demandé une cigarette qu'il a eu du mal à fumer. Il avait envie de dire : « Qu'est-ce qu'on fait alors ? » mais il s'est tu. Ils ont marché jusqu'à la clinique. Arrivés devant le bâtiment, ils n'ont marqué ni hésitation ni empressement. Richard a sorti le trousseau de clés et ils sont passés par le garage.

Dans son bureau, Richard a fermé les volets.

« Désolée, je n'ai rien à boire. De l'eau si tu veux ?

— Je peux fumer ? »

Sa peau. Sa peau laiteuse était insipide. Il y posait ses lèvres. Il ouvrait un peu la bouche, passait la langue sur le creux du cou, derrière l'oreille. Sa chair était totalement dénuée de goût, du moindre relief. Même sa transpiration n'avait pas d'odeur. Seuls ses doigts sentaient un peu la cigarette.

Elle a déboutonné elle-même la fine chemise blanche qu'elle portait et Richard a contemplé, effaré, ce ventre rond, ces plis formés par la jupe, ces fins bourrelets entre les élastiques du soutien-gorge. Le squelette d'Adèle revenait le hanter.

Matilda jouait la femme fatale et elle était un peu ridicule, du haut de ses vingt-cinq ans, adossée contre le bureau, faussement vénéneuse. On n'entendait pas un bruit dans la pièce. Même le meuble contre lequel ils étaient appuyés ne couinait pas. Elle, respirait à peine. Elle tentait des choses mais elle paraissait déçue qu'une relation interdite, avec un homme plus âgé et marié de surcroît, ne donne lieu à plus d'étincelles. C'était même moins drôle qu'avec les copains de la fac. Richard n'était pas drôle.

Elle a balancé sa tête d'un côté puis de l'autre. Elle a fermé les yeux. Ses cuisses voluptueuses se sont refermées sur Richard. Il a eu beau lui agripper les fesses, dégrafer son soutien-gorge et contempler ses seins blancs, il n'a pas réussi à jouir. Il s'est retiré lentement et, une fois dans la rue, elle a refusé qu'il l'accompagne.

« J'habite tout près de toute façon. »

Il a pris sa voiture. Il se sentait tout à fait clair à présent. Sur la route, il n'arrêtait pas de porter ses mains à son nez, de les respirer, de les goûter même, mais elles ne sentaient rien d'autre que le savon antiseptique.

Matilda n'avait laissé aucune trace.

Richard l'emmène à la gare. Dans la voiture, Adèle regarde par la fenêtre. Le jour se lève à peine. Un soleil brumeux caresse les collines. Ni l'un ni l'autre n'évoquent l'étrangeté de la situation. Elle n'ose pas le rassurer, se montrer tendre, lui promettre qu'elle ne fomente aucun projet d'évasion. Richard est soulagé que le moment soit venu de la laisser partir, de la laisser, même pour quelques heures, goûter à la liberté.

Elle va revenir.

Sur le parvis de la gare, il la regarde, ravissante et triste, fumer sa cigarette. Il sort son portefeuille et lui tend une liasse de billets.

« Deux cents euros. Ça suffira ?

— Oui, ne t'inquiète pas.

— Si tu veux plus, dis-le-moi.

— Non, merci. C'est très bien.

— Range-les tout de suite, sinon tu vas les perdre. »

Adèle ouvre son sac et range les billets dans une poche.

« À demain, alors.

— Oui. À demain. »

Adèle rejoint son siège, contre la vitre, dans le sens inverse de la marche. Le train démarre. Le compartiment est plongé dans un silence poli. Tous les gestes sont ouatés, les gens posent leur main sur leur menton en parlant au téléphone. Les enfants dorment, les oreilles sont fermement casquées. Adèle a sommeil et, dehors, les paysages ne sont plus que des couleurs qui débordent du cadre, des dessins à moitié fondus, coulée de gris, suintement de vert et de noir. Elle a mis une robe noire et une veste un peu démodée. En face d'elle, un homme s'installe et la salue. Le genre d'homme qu'elle n'aurait eu aucun mal à aborder. Elle est nerveuse, désorientée. Ce ne sont pas les hommes qu'elle craint mais la solitude. Ne plus être sous le regard de qui que ce soit, être inconnue, anonyme, être un pion dans la foule. Être en mouvement et songer que la fuite est possible. Pas envisageable, non, mais possible.

Au bout du compartiment, une jeune fille se tient debout derrière la porte vitrée. Elle n'a pas plus de dix-sept ans. Des jambes d'adolescente longues et minces et le dos un peu voûté. Le garçon qui l'embrasse n'a pas enlevé son sac à dos, et il se penche sur elle jusqu'à l'écraser. Les yeux fermés, la bouche ouverte, leurs langues tournent l'une autour de l'autre, en rond, sans arrêt.

Simone lui a demandé si elle voulait dire quelques mots pour rendre hommage à son père. Adèle a répondu qu'elle ne préférait pas. En réalité, elle ne sait pas ce qu'elle aurait pu dire de cet homme qu'elle connaissait si peu.

C'est même ce mystère qui nourrissait son adoration. Elle le trouvait décadent, décalé, inimitable. Elle le trouvait beau. Il parlait avec ferveur de liberté et de révolution. Lorsqu'elle était enfant, il lui faisait voir des films hollywoodiens des années 1960 en répétant qu'il ne devrait pas y avoir d'autre manière de vivre que celle-là. Il dansait avec elle et Adèle en avait presque les larmes aux yeux, de joie et de surprise, quand elle le voyait lever le pied en l'air, faire tourner la pointe de sa chaussure et effectuer une pirouette sur du Nat King Cole. Il parlait italien, en tout cas c'est ce qu'elle croyait, il racontait qu'il avait mangé du caviar à la petite cuillère avec des danseuses du Bolchoï à Moscou, où l'État algérien l'avait envoyé faire ses études.

Parfois, dans un de ces accès de mélancolie, il chantait en arabe une chanson dont il ne leur dévoila jamais le sens. Il s'emportait contre Simone en l'accusant de l'avoir arraché à ses racines. Il se mettait en colère, il devenait injuste, il hurlait qu'il n'avait pas besoin de tout cela, qu'il pourrait bien tout foutre en l'air et s'en aller vivre, seul, dans un endroit modeste, à se nourrir de pain et d'olives noires. Il disait qu'il aurait voulu apprendre à labourer, à semer, à retourner la terre. Qu'il aurait aimé la vie paisible des paysans de son enfance. Et que parfois, il lui arrivait même de les envier, comme l'oiseau fatigué d'un long vol peut envier la fourmi. Simone riait, d'un rire cruel qui le mettait au défi. Et il ne partait pas. Jamais.

Bercé par les cahotements du train, Adèle sombre dans un demi-sommeil. Elle pousse la porte de la chambre de ses parents et elle voit le grand lit. Le corps de son père, couché comme une momie. Les pieds pointés vers le ciel, raides dans le linceul. Elle s'approche, cherche les derniers morceaux visibles de peau. Les mains, le cou, le visage. Le grand front lisse, les rides profondes aux commissures des lèvres. Elle retrouve les traits connus, le chemin qu'empruntait le sourire, la carte complète des émotions paternelles.

Elle se couche sur le lit, à quelques centimètres à peine du corps. Il est tout à elle. Pour une fois, il ne peut ni s'enfuir, ni refuser la conversation. Un bras derrière la tête, les jambes croisées, elle allume une cigarette. Elle se déshabille. Nue, allongée contre le cadavre, elle caresse sa peau, elle le serre contre elle. Elle pose des baisers sur ses paupières et sur ses joues creusées. Elle songe à la pudeur de son père, à son horreur absolue de la nudité, la sienne, celle des autres. Couché là, mort, à sa merci, il ne pourra plus opposer aucune résistance à sa curiosité obscène. Elle se penche au-dessus de lui et lentement, elle dénoue le linceul.

Gare Saint-Lazare. Elle descend du train et remonte à pas vifs la rue d'Amsterdam.

Ils ont coupé le lien avec la vie d'avant. Une coupure nette, radicale. Ils ont laissé derrière eux des dizaines de cartons remplis de vêtements d'Adèle, de souvenirs de voyage et même d'albums photos. Ils ont vendu les meubles et offert leurs tableaux. Le jour de leur départ, ils ont jeté sur l'appartement un regard sans nostalgie. Ils ont remis les clés à la propriétaire et ils ont pris la route sous une pluie battante.

Adèle n'est jamais retournée au journal. Elle n'a pas eu le courage de présenter sa démission et elle a fini par recevoir un courrier que Richard a agité sous son nez : « Licenciement pour faute grave. Abandon de poste. » Ils ne prennent pas de nouvelles de leurs amis, des copains de fac, des anciens collègues. Ils trouvent des excuses pour qu'on ne vienne pas les voir. Beaucoup se sont étonnés de leur départ précipité. Mais personne n'a cherché à savoir ce qu'ils étaient devenus. Comme si Paris les avait oubliés.

Adèle est nerveuse. Elle attend qu'une table

se libère sur la terrasse et elle fume, debout, fixant les clients. Un couple de touristes se lève et Adèle se faufile à leur place. De l'autre côté de la rue, elle voit arriver Lauren qui lui fait un signe puis baisse les yeux, comme si elle ne se sentait pas autorisée à sourire ou à manifester sa joie.

Elles parlent du père d'Adèle, de l'heure de l'enterrement. Lauren lui dit : « Si tu m'avais prévenue plus tôt, j'aurais pu venir avec toi. » Elle demande des nouvelles de Richard, de Lucien, s'enquiert du petit village et de la maison. « Alors qu'est-ce qu'il y a à faire dans ce trou ? » rit-elle, hystérique.

Elles évoquent des souvenirs mais le cœur n'y est pas. Adèle a beau chercher, son esprit est vide. Elle ne trouve rien à raconter. Elle regarde sa montre. Dit qu'elle ne peut pas tarder, qu'elle doit prendre son train. Lauren lève les yeux au ciel.

« Quoi ? lui demande Adèle.

— Tu fais la plus grande erreur de ta vie. Pourquoi es-tu allée t'enterrer là-bas ? Tu es heureuse en femme au foyer dans ton manoir de province ? »

Adèle est exaspérée par l'insistance de Lauren, par cette façon qu'elle a de répéter que son mariage avec Richard est une erreur. Elle soupçonne bien que ce n'est pas par amitié mais guidée par d'autres sentiments que Lauren la conseille. « Tu n'es pas heureuse, reconnais-le !

Pas une femme comme toi! Ce n'est pas comme si tu t'étais mariée par amour. »

Adèle la laisse s'épuiser. Elle commande un autre verre de vin et boit lentement. Elle fume et acquiesce en silence aux reproches de Lauren. Quand son amie est à courts d'arguments, Adèle l'attaque, froide et précise. Elle se surprend elle-même à imiter les intonations de Richard, à reprendre les mots exacts qu'il a coutume d'utiliser. Elle développe des idées claires, exprime des sentiments simples contre lesquels son amie ne peut rien. Elle parle du bonheur de posséder un bien, de l'importance pour Lucien d'avoir un contact avec la nature. Elle fait l'éloge des plaisirs modestes, des joies du quotidien. Elle dit même cette phrase, cette phrase bête et injuste : « Tu sais, tant qu'on n'a pas d'enfants, on ne peut pas comprendre. J'espère qu'un jour tu verras ce que ça fait. » La cruauté de ceux qui se savent aimés.

Adèle est en retard mais elle marche lentement, de la gare de Boulogne-sur-Mer jusqu'à l'appartement de ses parents. Elle marche dans les rues grises, désertes et laides. Elle a raté la cérémonie au crématorium. Elle a mis du temps à rejoindre la gare du Nord et elle a raté son train.

Quand elle sonne à la porte de l'appartement, personne ne lui répond. Elle attend devant l'immeuble, assise sur la marche de l'entrée. Une voiture s'arrête et Simone en descend, escortée par deux hommes. Elle porte une robe noire moulante, un petit chapeau qu'elle a épinglé dans son chignon et une voilette. Elle a même mis d'affreux gants en satin, qui font des plis sur ses poignets ridés. Elle n'a pas peur du ridicule dans cet accoutrement. Elle joue à la veuve éplorée.

Ils entrent dans l'appartement. Un serveur dispose sur la table des petits-fours sur lesquels les invités se jettent. Simone pose sa main sur les mains qui se posent sur elle. Elle se répand en sanglots incontrôlables, hurle le nom de Kader. Elle gémit dans les bras de vieux types que le deuil et l'alcool ont rendus un peu lubriques.

Elle a fermé les volets et la chaleur est étouffante. Adèle étend sa veste sur le vieux fauteuil noir et remarque que les étagères ont été vidées. Les disques de son père ont disparu et on sent encore l'odeur sucrée du dépoussiérant avec lequel Simone a astiqué les planches. L'appartement tout entier paraît plus propre que d'habitude. Comme si sa mère avait passé la matinée à récurer les sols, à frotter les bords des cadres de photos.

Adèle ne parle à personne. Certains invités essaient d'attirer son attention. Ils parlent fort en espérant qu'elle se joigne à la conversation. Ils ont l'air de s'ennuyer à mourir, de s'être déjà tout dit et s'imaginent sans doute qu'elle pourra les distraire. Leurs visages ridés, le bruit que font leurs mâchoires usées lui inspirent une profonde répulsion. Elle a envie de se boucher les oreilles et de fermer les yeux, comme une enfant qui boude.

Le voisin du huitième la fixe. Il a l'œil visqueux. On pourrait presque croire qu'une larme pend à sa paupière. Lui, le voisin si obèse qu'Adèle avait eu du mal à trouver son sexe sous les plis de son ventre. Son sexe, transpirant sous la graisse, brûlant du frottement de ses cuisses énormes. Elle montait chez lui, l'après-midi après le lycée. Il avait un salon et deux chambres. Un grand balcon, sur lequel il avait installé une table et des chaises. Et une vue à couper le souffle. Il s'asseyait à la table de la cuisine, le pantalon sur les chevilles et elle, elle regardait la mer. « Tu vois, les côtes de l'Angleterre ? On pourrait presque les toucher. » L'horizon était plat. Évident.

« Richard ne t'a pas accompagnée ? » demande Simone, qui entraîne sa fille dans la cuisine. Elle est soûle.

« Il ne pouvait pas laisser Lucien tout seul et quitter la clinique en plein milieu de la semaine. Il te l'a dit au téléphone.

— Je suis déçue, c'est tout. Je pensais qu'il se rendrait compte que son absence est très blessante. J'avais beaucoup de gens à lui présenter et c'était l'occasion. Mais puisque apparemment...

— Apparemment quoi ?

— Depuis que monsieur a sa clinique et sa grande maison, on dirait qu'on n'est plus assez bien pour lui. Cette année, il est venu une fois, et encore, il n'a pas desserré les dents. J'aurais dû m'en douter, va.

— Arrête, maman. Il travaille beaucoup. C'est tout. »

À côté de la collection d'allumettes de bars d'hôtels, Simone a installé l'urne funéraire en porcelaine blanc et rose. On dirait une grosse boîte à biscuits ou une vieille théière anglaise. En une nuit, son père est passé du fauteuil noir à l'étagère du salon.

« Je n'aurais jamais pensé que papa voudrait se faire incinérer. »

Simone hausse les épaules.

« Il avait beau ne pas être religieux, sa culture c'est quand même... Tu n'aurais pas dû faire ça. Tu aurais pu m'en parler. » Elle termine sa phrase dans un murmure inaudible.

« Mais tu es là pour quoi, au juste ? Me houspiller ? Prendre même après sa mort le parti de ton père ? Il n'y en a toujours eu que pour lui de toute façon. Pour ses rêves débiles, ses fantasmes. "La grande vie !" La vie n'était jamais assez grande pour lui. Je vais te dire une chose, moi. » Simone avale une gorgée de gin et fait claquer sa langue sur son incisive. « Les gens insatisfaits détruisent tout autour d'eux. »

Les plateaux en aluminium sont vides et les invités viennent prendre congé d'Adèle. « Il faut que votre mère se repose. » « C'était une belle cérémonie. » Ils lancent tous, en passant la porte, un regard oblique vers les cendres du père.

Simone s'est effondrée sur le canapé. Elle hoquette doucement, son maquillage étalé sur ses joues. Elle a enlevé ses chaussures et Adèle regarde sa peau ridée, couverte de taches brunes. Sa robe noire, fendue sur le côté, est fermée par une grosse épingle à nourrice. Elle pleure, murmurant une plainte incompréhensible. Elle semble terrifiée.

« Vous vous compreniez bien tous les deux.

Toujours ligués contre moi. S'il n'avait pas été là, ça fait des années que tu ne serais pas revenue ici, n'est-ce pas? La huitième merveille du monde! Adèle par-ci. Adèle par-là. Ça l'arrangeait bien de croire que tu étais restée sa gentille petite fille. Il prenait ta défense. Trop lâche pour te punir, pour te regarder en face. Il disait: "Parle à ta fille, Simone", et il détournait les yeux. Mais je ne suis pas dupe, moi. Richard, le pauvre, il ne voit rien. Il est comme ton père, aveugle et naïf. Les hommes ne savent pas qui nous sommes. Ils ne veulent pas savoir. Moi, je suis ta mère, je me souviens de tout. De la façon dont tu te trémoussais, tu n'avais même pas huit ans. Tu affolais les hommes. Les adultes parlaient de toi alors que tu aurais dû être invisible. Ils ne disaient pas du bien d'ailleurs. Tu étais ce genre d'enfant que les adultes n'aiment pas. Déjà, tu avais le vice en toi. Une sainte-nitouche, une hypocrite de première. Tu peux partir, tu sais. Je n'attends rien de toi. Et ce pauvre Richard qui est si gentil. Tu ne le mérites pas. »

Adèle pose sa main sur le poignet de Simone. Elle aimerait lui dire la vérité. Se confier à elle et compter sur sa bienveillance. Elle voudrait caresser son front sur lequel sont collées de fines boucles, comme des cheveux d'enfants. Petite, elle a été un poids pour sa mère, puis elle est devenue une adversaire sans que jamais il n'y ait de temps pour la tendresse, pour la douceur, pour les explications. Elle ne sait pas par quoi commencer. Elle a peur d'être maladroite et de faire éclater trente ans d'aigreur et d'amertume. Elle ne veut pas assister à une de ces crises d'hystérie qui ont ponctué son enfance, sa mère, le visage griffé, les cheveux hirsutes, hurlant des reproches à la terre entière. La gorge nouée, elle se tait.

Simone s'endort, la bouche ouverte, abrutie par les calmants. Adèle boit ce qu'il reste de la bouteille de gin. Elle termine un fond de vin blanc que sa mère a laissé près de la cuisinière. Elle ouvre les volets et regarde par la fenêtre, le parking désert, le petit jardin à l'herbe brûlée. Dans l'appartement sordide de son enfance, elle vacille et se cogne contre les murs. Elle a les mains qui tremblent. Elle voudrait dormir, tenir en sommeil la rage qui l'habite. Mais il fait encore jour. La soirée a à peine commencé et elle sort, la démarche titubante. Elle a laissé une enveloppe sur le buffet de l'entrée et la boîte orange contenant la broche.

Elle prend le bus jusqu'au centre-ville. Il fait beau et les rues sont animées. Des touristes se prennent en photo. Des jeunes boivent des bières, assis sur les pavés. Elle compte ses pas pour s'empêcher de tomber. Elle s'assoit sur une terrasse, au soleil. Sur les genoux de sa mère, un petit garçon souffle dans sa paille et fait des bulles dans son verre de Coca. Le serveur lui demande si elle attend quelqu'un. Elle fait non de la tête. Elle ne peut pas rester là. Elle libère la table et entre dans un bar.

Elle est déjà venue ici. Les tables sur la mezzanine, le comptoir poisseux, la petite scène dans le fond, tout cela lui semble familier. À moins que ce ne soit parce que le lieu est affreusement banal. Le bar est plein d'étudiants bruyants et ordinaires, heureux de fêter la réussite d'un examen et le début des vacances. Elle n'a rien à faire ici et elle sent bien que le barman la regarde d'un air soupçonneux, qu'il a remarqué ses mains qui tremblent, son regard éteint.

Elle boit son verre de bière. Elle a faim. Un garçon s'assoit à côté d'elle. Un jeune homme maigre, au visage doux. Il a les tempes rasées et de longs cheveux plaqués sur le haut du crâne. Il parle beaucoup mais elle entend à peine ce qu'il dit. Elle comprend qu'il est musicien. Qu'il travaille comme gardien dans un petit hôtel. Il parle de son enfant aussi. Un bébé de quelques mois qui vit avec sa mère dans une ville dont elle n'a pas retenu le nom. Elle sourit mais elle pense : mettez-moi là, nue, sur le comptoir. Tenez mes bras, empêchez-moi de bouger, plaquez mon visage contre le bar. Elle imagine que les hommes se succèdent, poussant leur verge à l'intérieur de son ventre, la tournant d'avant en arrière, jusqu'à déloger le chagrin, jusqu'à faire taire la peur tapie au fond d'elle. Elle aimerait n'avoir rien à dire, s'offrir comme ces filles qu'elle a vues à Paris, leurs yeux de chameaux collés aux vitrines des bars à hôtesses. Elle voudrait que la salle entière boive sur elle, qu'ils crachent sur elle, qu'ils atteignent jusqu'à ses entrailles et qu'ils les arrachent, jusqu'à n'être plus rien qu'un lambeau de chair morte.

Ils sortent du bar par la porte de service. Le garçon roule un joint et le lui tend. Elle est euphorique et désespérée. Elle commence des phrases qu'elle ne termine pas. Elle répète : « J'ai oublié ce que je voulais dire. » Il lui demande si elle a des enfants. Elle pense à sa veste, qu'elle a laissée sur le fauteuil du salon. Elle a froid. Il faudrait rentrer mais il est si tard, l'appartement lui semble si loin. Elle n'osera jamais marcher seule jusque là-bas. Il faudrait s'armer de courage, peser le pour et le contre, se montrer raisonnable.

Quand Richard a tout découvert, elle s'était dit qu'elle finirait bien par revenir ici, dans cette ville, dans l'appartement de ses parents. Humiliée, sans recours et sans argent. Elle frissonnait à l'idée de retourner dormir au bout du couloir, d'entendre heure après heure la voix éraillée de sa mère lui asséner des reproches, lui demander des explications. Elle se voyait pendue au faux plafond de sa chambre, ses escarpins tenant à peine au bout de ses doigts de pieds, le regard plein de ce papier peint bleu et blanc qui encore aujourd'hui lui provoque des cauchemars. Les lèvres violettes, légère comme une plume, elle se balancerait au-dessus du petit lit, sa honte enfin étranglée.

« Quoi ? »

Ce garçon a un besoin désespéré de faire la conversation. Elle s'approche de lui, l'embrasse, colle ses seins contre son torse mais elle a du mal à tenir debout. Il la rattrape en riant. Elle ferme les yeux. Le joint lui a donné la nausée et le sol se met à tanguer.

« Je reviens. »

Elle traverse la salle en prenant de grandes inspirations. Dans les toilettes, un groupe d'adolescentes, engoncées dans des minijupes en nylon, ajustent leur maquillage. Elles gloussent. Adèle s'allonge et soulève les jambes. Elle voudrait avoir la force de rejoindre la gare, de monter dans un train ou de se jeter dessous. Elle veut, plus que tout au monde, retrouver les collines, la maison aux colombages noirs, la solitude immense, Lucien et Richard. Elle pleure, la joue collée au carrelage qui sent l'urine. Elle pleure d'en être incapable.

Elle se lève. Plonge sa tête sous le robinet d'eau froide. Dans la glace, elle a le visage d'une noyée. Le teint livide, les yeux exorbités, les lèvres exsangues. Elle retourne dans la salle où personne ne la remarque. Elle a l'impression de flotter dans un épais brouillard. Un groupe d'adolescents un peu ivres se tient par les épaules et saute en hurlant les paroles d'une chanson.

Le garçon lui tape sur l'épaule. Elle sursaute. « Tu étais où ? Ça va ? Tu es toute pâle. » Il pose doucement sa main sur sa joue glacée.

Adèle sourit. Un sourire sage et attendri. Elle aime cette chanson. *You give your hand to me.* Elle tombe dans ses bras, s'abandonnant au rythme de la musique. Il serre ses côtes saillantes entre ses doigts. Il la tient fort contre lui et passe ses mains sur ses bras nus pour la réchauffer. Elle pose sa joue sur son épaule, les yeux fermés. Leurs pieds bougent lentement, ils se balancent de droite à gauche. Il lui prend la main et elle ouvre les yeux quand il la fait tourner et doucement revenir vers lui. Elle lui sourit et elle fredonne, les lèvres collées à son cou.

« *Well, you don't know me.* »

La chanson se termine. La foule pousse un cri quand commence un air entraînant. Ils envahissent la piste et les séparent. Les mains croisées derrière sa nuque, Adèle danse, les paupières closes. Elle descend les mains, caresse ses seins, les fait se rejoindre sur l'aine. Elle lève les bras, envahie par la cadence de plus en plus rapide de la musique. Elle bouge les hanches, les épaules, elle remue la tête d'un côté puis de l'autre. Une vague de calme l'envahit. Elle a le sentiment de se soustraire au monde, de vivre un instant de grâce. Elle retrouve le plaisir qu'elle avait, adolescente, à danser pendant des heures, parfois seule sur la piste. Innocente et belle. Elle ne ressentait alors aucun embarras. Elle ne mesurait pas le danger. Elle était tout entière à ce qu'elle faisait, offerte à un avenir qu'elle imaginait superbe, plus haut, plus grand, plus exaltant. À présent, Richard et Lucien ne sont plus que des souvenirs flous, des souvenirs impossibles qu'elle voit lentement se dissoudre puis disparaître.

Elle tourne sur elle-même, indifférente au vertige. Les yeux mi-clos, elle perçoit dans la salle sombre de petits éclats de lumière qui l'aident à tenir en équilibre. Elle voudrait plonger au fond de cette solitude mais ils l'en arrachent, ils la tirent vers eux, ils ne le permettent pas. Quelqu'un l'attrape par-derrière et elle frotte ses fesses contre son sexe. Elle n'entend pas les rires gras. Elle ne voit pas le regard que se lancent les hommes qui se la passent, de l'un à l'autre, qui la serrent contre eux, qui se moquent un peu d'elle. Elle rit elle aussi.

Quand elle ouvre les yeux, le gentil garçon a disparu.

Il a attendu sur le quai. Elle n'était pas dans le train de quinze heures vingt-cinq. Ni dans celui de dix-sept heures douze. Il a appelé sur son portable. Elle n'a pas répondu. Il a bu trois cafés, il a acheté un journal. Il a souri à deux patients qui prenaient un train et qui lui ont demandé qui il attendait. À dix-neuf heures, Richard quitte la gare. Il est en apnée, affolé par l'absence d'Adèle, rien ne parvient à le détourner de son angoisse.

Il retourne à la clinique mais la salle d'attente est vide. Aucune urgence pour lui occuper l'esprit. Il consulte quelques dossiers mais il est trop nerveux pour travailler. Il n'imagine pas de passer cette nuit sans elle. Il ne peut pas croire qu'elle ne reviendra pas. Il appelle la voisine. Il ment, dit qu'il a une urgence et qu'elle doit rester plus tard pour garder Lucien.

Il marche vers le restaurant où l'attendent des amis. Robert, le dentiste, Bertrand, le chargé d'affaires. Et Denis, dont personne ne sait exactement ce qu'il fait dans la vie. Jusqu'ici, Richard a toujours fui les bandes. Il n'a jamais eu d'instinct grégaire. En faculté de médecine, déjà, il se tenait un peu à l'écart des autres étudiants. Il ne goûtait pas à l'humour salace des salles de garde. Il n'aimait pas entendre ses collègues se vanter d'avoir couché avec une infirmière. Il fuyait chez les hommes cette complicité facile et vaine, qui tourne toujours autour de la conquête des femmes.

Il fait très chaud et ses amis l'attendent sur la terrasse. Ils ont déjà bu quelques bouteilles de rosé et Richard commande un whisky pour les rattraper. Il est nerveux, impatient, soupe au lait. Il a envie de chercher des noises à quelqu'un, de se mettre en colère. Mais ses copains n'offrent aucune prise. Ils sont lourds, banals, inutiles. Robert parle des charges de son cabinet et le prend à témoin. « N'est-ce pas qu'on nous étrangle ? Hein, Richard ? » Bertrand, d'une voix calme et condescendante, déroule son laïus sur la nécessaire solidarité sans laquelle notre modèle social irait à vau-l'eau. Et Denis, qui est gentil, oui, Denis répète : « Mais en fait vous dites la même chose. Vous avez tous les deux raison. »

À la fin du repas, Richard a la mâchoire qui tremble. Il a l'alcool triste et sensuel. Une envie de pleurer et de couper court aux conversations. Son portable est posé devant lui et il sursaute

224

dès que l'écran s'allume. Elle n'appelle pas. Il quitte la table avant les digestifs. Robert fait une remarque sur la beauté d'Adèle, sur l'impatience de Richard à rentrer chez lui. Richard sourit, cligne d'un œil complice et sort du restaurant. Il lui aurait bien mis son poing dans la gueule à ce balourd aux lèvres grasses. Comme s'il y avait une gloire à rentrer chez soi pour monter sa femme.

Il roule vite sur la chaussée glissante. La nuit est chaude et l'orage fait, au loin, hennir des chevaux. Il se gare. Assis dans la voiture, il regarde la maison. Les huisseries rongées sur la façade. Le banc en bois et la table du petit déjeuner. Les collines, qui creusent le nid où la maison est cachée. Cette maison, il l'a choisie pour elle. Adèle n'a à s'inquiéter de rien. Il a fait réparer le volet qui claquait, il a planté une allée de tilleuls sur la petite terrasse.

Comme lorsqu'il était enfant, il fait des paris avec lui-même. Il promet. Il jure que si elle revient, tout sera différent. Il ne la laissera plus seule. Il brisera le silence qui règne dans la maison. Il l'attirera vers lui, il lui racontera tout et puis il l'écoutera. Il ne gardera ni rancune ni regrets. Il fera comme s'il n'avait pas vu. Il dira, en souriant : « Tu as raté ton train ? » puis il parlera d'autre chose et ce sera oublié.

À présent, il se méfie des illusions mais il en est sûr, jamais Adèle n'a été aussi belle. Depuis qu'ils ont quitté Paris, elle a sur le visage cet air sidéré, cet air de ne pas en revenir qui mouille son regard. Elle n'a plus de cernes. Ses yeux se sont agrandis. Ses paupières sont aussi larges que des pistes de danse. Elle dort, la nuit, d'un sommeil apaisé. D'un sommeil sans histoires et sans secrets. Elle dit qu'elle rêve de champ de maïs, de quartier pavillonnaire, de square pour enfants. Il n'ose pas lui demander : « Est-ce que tu rêves encore de la mer ? »

Il ne la touche jamais mais il connaît son corps par cœur. Chaque jour, il la scrute. Ses genoux, ses coudes, ses chevilles. Adèle n'a plus de bleus. Il a beau chercher, sa peau est lisse, aussi pâle que les murs du village. Elle n'a rien à raconter. Adèle ne se cogne plus aux rambardes des lits. Son dos ne se brûle plus aux moquettes bon marché. Elle ne dissimule pas de bosses sous ses mèches de cheveux. Adèle a grossi. Sous ses robes d'été, il devine que ses fesses ont gagné en rondeur, que son ventre est plus lourd, sa peau moins ferme, plus saisissable.

Richard a envie d'elle. Tout le temps. Un désir violent, égoïste. Souvent, il voudrait faire un geste, tendre la main vers elle mais il reste là, stupide, immobile. Il pose sa main sur son sexe, comme on met sa paume sur la bouche d'un enfant qui s'apprête à hurler.

Il aimerait, pourtant, sangloter sur ses seins. S'accrocher à sa peau. Poser la tête sur ses genoux et la laisser le consoler de son grand amour trahi. Il la désire, mais il entend. Les allées et venues des hommes qui ont marché sur elle. Ça le révulse, ça l'obsède. Ce va-et-vient qui ne veut pas cesser, qui ne l'emmène nulle part, ces peaux qui claquent, ces cuisses flasques, ces regards révulsés. Ce va-et-vient, régulier comme des coups, comme une quête impossible, comme la volonté d'arracher un cri, un sanglot qui dort au fond d'elle et qui fait trembler tous les paysages. Ce va-et-vient qui ne se réduit jamais entièrement à lui-même, qui est toujours la promesse d'une autre vie, promesse de beauté, de tendresse possible.

Il sort de la voiture et marche vers la maison. Ivre, un peu nauséeux, il s'assoit sur le banc. Il cherche un paquet de cigarettes dans ses poches. Il n'en a pas. Il fume toujours les siennes. Elle ne peut pas partir. Elle ne peut pas les abandonner. On ne trahit pas celui qui vous a pardonné. Il renifle en pensant qu'il va rentrer seul dans cette maison, qu'il va devoir répondre à Lucien qui demandera : « Elle est où, maman ? Quand est-ce qu'elle revient ? »

Il ira la chercher, où qu'elle se cache. Il la ramènera. Il ne la quittera plus des yeux. Ils auront un autre enfant, une petite fille, qui héritera du regard de sa mère et de son cœur solide à lui. Une petite fille qui l'occupera, qu'elle aimera d'amour fou. Peut-être même qu'un jour elle saura se contenter de préoccupations banales et il sera heureux, heureux à en mourir, quand elle voudra refaire la décoration du salon, quand elle passera des heures à choisir un nouveau papier peint pour la chambre de la petite. Quand elle parlera trop, quand elle fera des caprices.

Adèle vieillira. Ses cheveux vont blanchir. Ses cils vont tomber. Plus personne ne la verra. Lui, il tiendra son poignet. Il lui enfoncera le visage dans le quotidien. Il la traînera, dans la poussière de ses pas, ne la lâchera jamais, quand elle aura peur du vide et envie de tomber. Et un jour, sur sa peau de parchemin, sur sa joue fendillée, il posera un baiser. Il la mettra nue. Il n'entendra plus dans le sexe de sa femme d'autres échos que celui du sang qui pulse.

Et elle s'abandonnera. Elle posera sa tête vibrante sur son épaule et il sentira tout le poids d'un corps qui a jeté l'ancre. Elle sèmera sur lui des fleurs de cimetières, en gerbe, et plus près de la mort elle gagnera en tendresse. Adèle se reposera demain. Et elle fera l'amour, les os vermoulus, la cambrure rouillée. Elle fera l'amour comme une pauvre vieille, qui y croit encore et qui ferme les yeux et qui ne dit plus rien.

Ça n'en finit pas, Adèle. Non, ça n'en finit pas. L'amour, ça n'est que de la patience. Une patience dévote, forcenée, tyrannique. Une patience déraisonnablement optimiste.

Nous n'avons pas fini.

DU MÊME AUTEUR

Aux Éditions Gallimard

DANS LE JARDIN DE L'OGRE, 2014 (Folio n° 6062). **Prix**
littéraire de la Mamounia 2015.

CHANSON DOUCE, 2016 (Folio n° 6492). Prix Goncourt
2016, prix des Lecteurs Gallimard 2016, Grand Prix des lec-
trices de *Elle* 2017 et Grand Prix des lycéennes de *Elle* 2017.

Aux Éditions Les Arènes

SEXE ET MENSONGES. LA VIE SEXUELLE AU
MAROC, 2017.

PAROLES D'HONNEUR, illustré par Laetitia Coryn et San-
dra Desmazières, 2017.

Aux Éditions de l'Aube

LE DIABLE EST DANS LES DÉTAILS, 2015.

SIMONE VEIL, MON HÉROÏNE, illustré par Pascal
Lemaître, 2017.

COMMENT J'ÉCRIS. Conversation avec Éric Fottorino,
2018.

COLLECTION FOLIO

Dernières parutions

Composition CMB/PCA
Impression Novoprint,
à Barcelone, le 7 avril 2021
Dépôt légal : avril 2021
1er dépôt légal dans la collection : novembre 2015.

ISBN 978-2-07-046818-8. / Imprimé en Espagne.